海外漢文古醫籍精選叢書・第三輯

2011—2020年國家古籍整理出版規劃項目
2018年度國家古籍整理出版專項經費資助項目
中國中醫科學院「十三五」第一批重點領域科研項目
——我國與「一帶一路」九國醫藥交流史研究（ZZ10—011—1）

蕭永芝◎主編

傷寒論繹解 壹

〔日〕柳田濟 注

8

北京科学技术出版社

圖書在版編目（CIP）數據

傷寒論繹解/蕭永芝主編. —北京：北京科學技術出版社，2019.1
（海外漢文古醫籍精選叢書. 第三輯）
ISBN 978－7－5304－9995－5

Ⅰ. ①傷… Ⅱ. ①蕭… Ⅲ. ①《傷寒論》—注釋 Ⅳ. ①R221.9

中國版本圖書館 CIP 數據核字（2018）第282647號

海外漢文古醫籍精選叢書・第三輯・傷寒論繹解

主　　編：蕭永芝
策劃編輯：李兆弟　侍　偉
責任編輯：吕　艷　周　珊
責任印製：李　茗
出 版 人：曾慶宇
出版發行：北京科學技術出版社
社　　址：北京西直門南大街16號
郵政編碼：100035
電話傳真：0086-10-66135495（總編室）
0086-10-66113227（發行部）　0086-10-66161952（發行部傳真）
電子信箱：bjkj@bjkjpress.com
網　　址：www.bkydw.cn
經　　銷：新華書店
印　　刷：北京虎彩文化傳播有限公司
開　　本：787mm×1092mm　1/16
字　　數：810千字
印　　張：67.5
版　　次：2019年1月第1版
印　　次：2019年1月第1次印刷
ISBN 978－7－5304－9995－5/R・2552

定　　價：1680.00元（全3册）

海外漢文古醫籍精選叢書·第三輯

傷寒論繹解

壹

〔日〕柳田濟 注

内容提要

《傷寒論繹解》爲日本醫家柳田濟所撰之《傷寒論》注解專書，刊於嘉永六年（一八五三）。注者博引中日兩國古籍和醫家之言，從訓詁、醫理等方面對《傷寒論》進行詳細的注釋訓解。其注條理清晰、言語簡練、内容全面，在前人基礎上有所發揮，對研究《傷寒論》具有較高的參考價值。

一 作者與成書

《傷寒論繹解》扉葉題署「活齋柳田子和著」，各卷首葉亦均題「柳田濟子和著」，可知本書注者爲柳田濟（活齋）。

本書之首載藤家厚「傷寒論繹解引」，其曰：「柳田活齋寢食《傷寒》《金匱》之書有年矣，著《傷寒論繹解》十卷。其所取在有用之實，而非世醫堅白同异之類。仲景有知，則將謂數千年之後得一知己耶。先臣以仲景之術與者吉益東洞，繼而興者中西深齋，皆豪杰之才也，今而復得活齋，然其所見各有同异。夫醫聖之書，討論研究，待衆人之智而後彰矣。蓋天地之間，不可不無一繹解也。」

清人沈萍香（鳳翔）在序中述：「日本京師柳田先生精醫術，存救衆懷，號曰活齋……辛卯歲，寄游瓊浦，遍治沉疴，迄今已三易寒暑矣……癸巳年……津田生索手題序……」

注者柳田濟自序載：「余家世業醫，家君常病諸注紛紜，無所適從，而欲以發揮其正旨，故其説有發古人之未發者。欲終其業不果，賫志而没。嘗曰：醫經不明，不可以爲醫。余時雖少，記之心矣。既壯，奉家學而不失，上取宋明之諸家，下至我邦之諸家，無不參考。在崎陽三年，在京師若干年，驗之於病，質之於《經》，胸中似備一大規矩矣……少壯以來所聚録諸家之説，堆而盈筐，其可者取之，其不可者捨之，加以先人所發明，及余所得之説，梓而以問於世，名曰《傷寒論繹解》。始於平脉法，終辨諸不可篇。凡諸家之所捨，而苟有益於治者，雖非張氏之舊，無不辨而盡之。」

日本學者小曾户洋在《日本漢方典籍辭典》中言：「活齋，京都人，游學於長崎，名濟，字子和，堂號包荒堂。」又曰：「大塚敬節曾藏此書，并給予高度評價。」❶

綜合以上信息可知，本書注者爲日本醫家柳田濟，生卒年及生平不詳，字子和，號活齋，堂號包荒堂，平安（京都古稱）人，曾游學於崎陽（今屬日本長崎），其家世代在京都業醫。活齋感於歷代《傷寒論》注家「彼此錯謬，陰陽倒置，以駝爲馬背腫，削足適履」，遂繼承先父遺志，上取宋明諸家之解，下摘日本注者之言，加以自身之經驗感悟，纂爲《傷寒論繹解》十卷。日本近現代著名醫家大塚敬節曾收藏此書并予以高度評價。

關於此書的成書年代，由於清人沈萍香在序中提到「癸巳年……津田生索手題序」，説明此書於日本天保四年癸巳（一八三三）已經基本撰成；而柳田濟自序稱此書「梓而以問於世」，作序時間爲嘉

❶〔日〕小曾户洋.日本漢方典籍辭典[M].北京：學苑出版社，二〇〇八：二五四.

永六年（一八五三），因知此書當刊行於一八五三年。

二 主要内容

《傷寒論繹解》爲注解《傷寒論》之書。全書十卷，正文始於「傷寒卒病論集」，其後采用宋本《傷寒論》的卷篇編次，依次爲：卷第一載辨脉法、平脉法，卷第二録傷寒例、辨痓濕暍脉證、辨太陽病脉證并治上，卷第三辨太陽病脉證并治中，卷第四辨太陽病脉證并治下，卷第五辨陽明病脉證并治、辨少陽病脉證并治，卷第六辨太陰病脉證并治、辨少陰病脉證并治、辨厥陰病脉證并治，卷第七辨霍亂病脉證并治、辨陰陽易、差後勞復病脉證并治、辨不可發汗病脉證并治、辨可發汗病脉證并治，卷第八辨發汗後病脉證并治、辨不可吐、辨可吐，卷第九辨不可下病脉證并治、辨可下病脉證并治，卷第十辨發汗吐下後病脉證并治。

本書采用以下體例編撰，即卷下分篇，篇下分章，各章先載《傷寒論》原書條文，條文之下出諸家小字注解與按語，其後以大字按语統述，對《傷寒論》進行了全面、深入的訓釋注解。

在各卷篇名之下，注者首先用小字詳細注解、考證篇名含義，集諸家之注并抒發己見，總述該篇的内容；其後，以條文爲「章」，在需要注解的字句之下，用小字依次細緻闡述《傷寒論》的條文；在各「章」之末，以大字統述該條内容及其與上下文之間的内在聯繫，將《傷寒論》梳理爲「平證」的脉證治方與「變證」的脉證治方，使讀者對《傷寒論》形成較爲宏觀的認識。

綜上，《傷寒論繹解》是一部專門校注、研究《傷寒論》的醫籍，其注文引用諸多先賢名醫對《傷寒論》的研究，按語則參考《黃帝内經》等經典醫籍，并聯繫上下篇章、條文而有所發揮，對《傷寒論》一書進行了全面詳盡的注解。

三　特色與價值

《傷寒論繹解》爲日本醫家柳田濟(活齋)所注，係纂集中日兩國注解《傷寒論》著作及其他古籍中的相關論説而成。同時，書中融入了注者對《傷寒論》的研究理解及其臨證實踐的經驗，使本書具有較高的學術研究價值。

(一)體例特色

本書的編撰體例較爲固定，卷篇之下各章的内容大致可分爲三個部分，即：《傷寒論》原文、小字校注、大字按語。正文各章原《傷寒論》的條文爲大字頂格，後接小字注文及按語，章末爲大字總按。《傷寒論繹解》一書的注解、按語與原文交互錯出，其體例特色表現在以下四個方面。

第一，篇名下多有雙行小字注釋，在宋本原注的基礎上新增字詞訓詁，析傳抄之訛、叔和之語，亦或引用諸家之言提揭語句含義，進行名物考據，爾後有所評議。如卷第二「辨痓濕暍脉證第四」篇名的小字按，述曰：「痓，音熾，又作痙，巨郢切，下同。」此爲宋本《傷寒論》舊注。「濟按：原本痙濕作痓濕。《玉函》作痙濕。成無己曰：痓當做痙。傳寫之誤也。是。」爲柳田濟引《金匱玉函經》及成無己之言所作的校勘，注者同時品評是非，并在後文中改「痓」爲「痙」。同卷對「辨太陽病脉證并治上第五」篇名、注者以小字注曰：「中西惟忠《傷寒論辨正》云：凡病之於轉機，千變萬化，靡有窮極焉。然體已有所病，則轉機必形乎外。乃其形乎外者，在脉之與證矣。

脉之與證，未始不具於體焉。乃推之於外而察體之所病者，厝脉證何由？故脉必須證，證必須脉，脉證相須而後轉機可以盡焉。」此處引日本醫家中西惟忠所著《傷寒論辨正》，闡明「脉證」的意義與關繫。同篇濟按曰：「每篇目次，提揭篇内病脉證，有治方者，是倉卒令其要者易見也。然非古人簡約之意，此亦成叔和之手也。」此處則爲柳田濟辨析王叔和整理《傷寒論》之是非得失。

第二，多數篇名之下均有大字按語，或引經據典，或徵引他論，總括合篇内容、相應病機及上下篇章之間的内在關聯。例如，卷第四「辨太陽病脉證并治下第七」篇名後有大字注云：「此篇論太陽病，邪氣既犯於裏之諸證也。」爲總述本篇主要内容。卷第五「辨陽明病脉證并治第八」篇首云：「陽明病者，陽氣極盛也。陽氣極盛者，陰氣亦隨盛。乃熱氣延漫於表裏，寒化爲熱，故指見胃家實，腹滿譫語，惡熱潮熱，濈然汗出等證。」此處揭示陽極陰盛，寒化爲熱之理。卷第二「辨太陽病脉證并治上第五」篇首大字按云：「凡五人者，其態不同，其筋骨氣血各不等是也。又有爲天地陰陽盛衰之名。《六元正紀大論》所説陰年陽年、太過不及、主運客運、司天在泉、勝負等是也。」此處將《素問》與《傷寒論》之理互參；同篇「提出其稍重者，以爲中篇葛根湯之根起」，論述前後各篇之間的聯繫。再如書首「傷寒卒病論集」後，「按」引《扁鵲傳》「六不治」并云：「蓋此序論者，全由此六不治之意發。」將《傷寒論》仲景之理與扁鵲「六不治」之論關聯起來，這在《傷寒論》研究著作中并不多見。

第三，各條小字注文，或保留宋本舊注，或參考前代諸家，并有所發揮。正文小字注文包括注明字音、解釋字義、參考其他文獻進行校勘、柳田濟自按發揮之語等。卷第一「辨脉法第一」篇，原文「脉縈縈如蜘蛛絲者，陽氣衰也」，其下小字注曰：「《説文》：縈，枚（收）卷也。成無己《傷寒論注解》云：如蜘蛛絲者，至細也。」此爲引書作字詞訓釋。卷第五「辨陽明病脉證并治第八」篇中，列《傷寒論》條文云：「少陽陽明者，發汗，利小便已，胃中燥，煩實，大便難是也。」其下小字注曰：「《玉函》……發汗，利小便，作發其汗，若利其小便；無煩實二字。是。」此爲注者以《金匱玉函經》對校，但并未記述《金匱玉函經》中「微陽」與校本「少陽」之不同。卷第三「辨太陽病脉證并治中第六」之下「芍藥甘草附子湯……疑非仲景方」一條，柳田濟以小字按曰：「……故《內臺方議》亦云：若非大汗出，又反惡寒，其脉沉微及無熱證者，不可服也……濟按：此説是，然斥爲叔和之語者，非。何則？《傷寒例》云：今搜采仲景舊論，録其症候診脉聲色對病真方有神驗者，擬防世疾也。據之則叔和以疑非仲景方者録邪？此爲後人之言明矣。」爲柳田濟分析《傷寒論》個别條文與王叔和之語的關繫，這種情況在本書中多次出現。

第四，條文之後的大字按語，承上啓下，總述證治，并結合前後篇章闡述醫理，解析方證。如卷第七「辨霍亂病脉證并治第十三」篇，原文云：「問曰：病發熱，頭痛身疼，惡寒吐利者，此屬何病……復更發熱也。」其後以大字按語「此承前章」指出前後條文之間的聯繫。書中的大字按語也有引用其他醫家言論的情況。如卷第八「辨可吐第十九」中，在《傷寒論》原文「大法春宜吐」之後，柳田濟按引成無己之言云：「成無己曰：春時陽氣在上，邪氣亦在上，故宜吐。」

注者用聯繫上下篇章、引録諸家觀點的方式，理清《傷寒論》的內在邏輯關繫，將《傷寒論》梳理爲「平證」的脉證治方與「變證」的脉證治方。其中，有些按語僅標注論者，如「滑伯仁曰」「張思（志）聰曰」「惟忠曰」「淇園曰」，而不標明著作；有些僅始以「按」「又按」，而未注其出處，則多爲柳田濟之言。

（二）注解特色

《傷寒論繹解》一書旁徵博引，并添以注者之己見，其注有以下特點。

首先，注者博引古今各類著作，以求全面注解《傷寒論》。其中，用於校勘、訓釋《傷寒論》文字的韵書、字書、辭書，有漢・許慎《説文解字》，宋・陳彭年《廣韵》、宋祁《集韵》，明・梅膺祚《字彙》等；引述的中國醫籍，有漢・張仲景《金匱玉函經》，晉・王叔和《脉經》，唐・孫思邈《備急千金要方》《千金翼方》等；其他經史文獻有先秦時期的《易經》《詩經》、左丘明《國語》、鶡冠子《鶡冠子》，西漢・司馬遷《史記》等；用於名物考據的經典中醫著作有《素問》《靈樞》《難經》以及晉・皇甫謐《針灸甲乙經》等。此外，柳田濟廣輯中國醫家注解《傷寒論》之論，引述如宋・成無己《傷寒明理論》，明・王肯堂《傷寒準繩》，清・張璐《傷寒纘論》、周揚俊《傷寒論三注》、柯琴《傷寒論注》、程應旄《傷寒論後條辨》、程林《金匱要略直解》、魏荔彤《傷寒論本義》、吴謙《醫宗金鑑》、徐大椿《傷寒類方》、吴儀洛《傷寒分經論》等；引用日本醫家著作有橘春暉（南谿）《傷寒外傳》、山田正珍《傷寒論集成》、多紀元簡《醫賸》《傷寒論輯義》等。

第二，柳田濟既尊中國傷寒學派之「錯簡重訂派」，又重「維護舊論派」，亦參「辨證論治派」之理論，推日本「經典派」醫家之言，確如柳田濟自序所言，「上取宋明之諸家，下至我邦之諸家，無不參考」，使本書成爲比較客觀、公允、全面的中日《傷寒論》學術研究纘編。其中，尤尊張志聰、成無己、山田正珍等醫家，甚至可見大段徵引張志聰《傷寒論集注》原文而不加改動的情況。如卷第一「辨脉法第一」有載：「張思（志）聰曰：陰陽相搏，名曰動者，言陰陽皆盛……此因動脉之義，而更爲效象形容者如此。」此處引張志聰之言，隻字未改。同時，柳田濟對諸家訓釋有一定的取捨，并非字字俱訓，也非全取諸家。如「辨脉法第一」篇名并未訓釋喜多村直寬、森立之等名家皆作注解的「辨」字。

第三，《傷寒論繹解》之注釋、按语可見柳田濟自按及引他人之注的兩種情況。柳田濟自按以「濟按」爲標識，亦有僅言「按」「又按」者；引他人之言則注明出處。柳田濟之按语，涵括訓釋、句讀、校勘、釋理及評議等内容，注解細緻、全面，理義暢達。

在訓釋、句讀、校勘方面，注者博引中國古籍，對《傷寒論》各種版本之間的文字差异、錯訛脱衍之處均做出訓釋，但又并非面面俱到，而是有所取捨。比如卷第二「辨太陽病脉證并治上第五」中「四逆湯方……强人，可大附子一枚，乾薑三兩」，在「强人」之後句讀，并引《字彙》《曲禮》《素問》，以解「强人」用四逆湯之理，曰：「《字彙》云：强與彊同，壯盛也。《曲禮》四十曰：强而仕(壯)。據之則强人斥壯盛人也……《素問・五常政大論》云：能毒者，以厚藥；不能毒者，以薄藥。此之謂也……若後人以薑附爲復元陽，補虚脱，與之則有强人而增之理邪？實由不知古義矣。」

在闡述醫理方面，柳田濟注重闡明傷寒文後深奥之理。如卷第三「辨太陽病脉證并治中第六」之「凡病，若發汗，若吐，若下，若亡血亡津液，陰陽自和者，必自愈。」柳田濟在此條下按曰：「此言亡血亡津液而不言亡陽者，蓋形體者，陰也，是猶地爲陰矣。夫血與津液者，俱屬陰，各陰中之一物也……元氣者，陽也，是猶天爲陽矣。凡病生乎陰氣凝滯，陽氣爲之不能運行，陰陽不和焉……此亦陰陽不和而天地之病也。是故若陽亡則陰氣益凝滯，而邪氣不除，因不至自和自愈，是所以言亡血亡津液，而不言亡陽也。論中自有明徵，可觀以知矣。」言仲景行文簡奥，并闡發仲景隱微之理。又如同篇「梔子豉湯方」後柳田濟按云：「凡本論，諸方服法曰進者，止此以下五方已。是虚煩者，雖如難堪此藥，强與之謂歟。」揭示了「進」字之深意。

在對條文的評議方面，柳田濟猶重評述王叔和及其他後人所加之語。如卷第三「人參三兩新加湯方」條，注者按曰：「方名中言其所加之兩數者，他無此例。新加二字，亦屬蛇足，恐此後人傍書者誤混本文也。《玉函》《脉經》直名桂枝加芍藥生薑人參湯者是也。今從之。」此處爲柳田濟析方名與慣例有异者，并據《金匱玉函經》《脉經》辨析後人混淆之誤。

綜上所述，《傷寒論繹解》是一部博引諸家之論而對《傷寒論》加以注解的醫學專著。注者以古代經籍剖析傷寒醫理，并在前代中日醫家、學者的基礎上進行了較好的發揮。其特點在於體例規整，條理清晰，引論豐富；柳田濟的注解、按語爲其臨床積纍的結晶，乃驗之於《經》復參引諸醫家之論而成。因此，本書對於研究和學習《傷寒論》均有較大助益。

四　版本情况

《傷寒論繹解》於嘉永六年（一八五三）由日本書肆包荒堂刊行。此本在日本由京都大學圖書館、京都大學圖書館富士川文庫、早稻田大學圖書館、市立刈谷圖書館、杏雨書屋等機構收藏。❶ 在國内由中國醫學科學院圖書館收藏。❷

---

❶〔日〕國書研究室．國書總目録：第四卷[M]．東京：岩波書店，一九七七：三七二．

❷ 薛清録．中國中醫古籍總目[M]．上海：上海辭書出版社，二〇〇七：七〇．

本次影印所采用的底本，爲日本早稻田大學圖書館所藏嘉永六年（一八五三）包荒堂刻本。此本藏书号为「ヤ09 00392」，十卷十册。日本四眼裝幀。封皮題寫「傷寒論繹解」書名及卷次。扉葉刻「活齋柳田濟子和著/傷寒論繹解/包荒堂藏板」。書首有（藤）家厚撰於嘉永四年（一八五一）的「傷寒論繹解引」；其後二序，分别爲天保四年癸巳（一八三三）清人沈萍香（鳳翔）序及嘉永六年（一八五三）柳田濟「傷寒論繹解序」。正文處四周單邊，烏絲欄，每半葉十行，大字行二十字，小字行四十字。版心白口，上單黑魚尾。書口上部刻書名、册數，中部鎸葉碼，下部署「包荒堂藏板」。正文大字以「。」句讀，小字以「・」句讀，并附有標明語序的和文返點。全書大尾鎸有刊刻牌記，所記時間爲「嘉永六年癸丑六月」，并録有刊刻和發行者姓氏。

綜上所述，《傷寒論繹解》博引諸學及中日各家之説，注解詳細客觀，揭示上下篇章間内在關聯，并在前人的基礎上進一步發揮，相對全面、細緻地對《傷寒論》進行了頗有見地的注解，使學者可以對仲景醫理形成較爲系統的認識，反映了日本醫家對《傷寒論》的學習、研究與發揮，應該受到學術界的重視。

曲璐 蕭永芝

傷寒論繹解
一
392
1

活齋柳田子和著

傷寒論繹解

包荒堂藏版

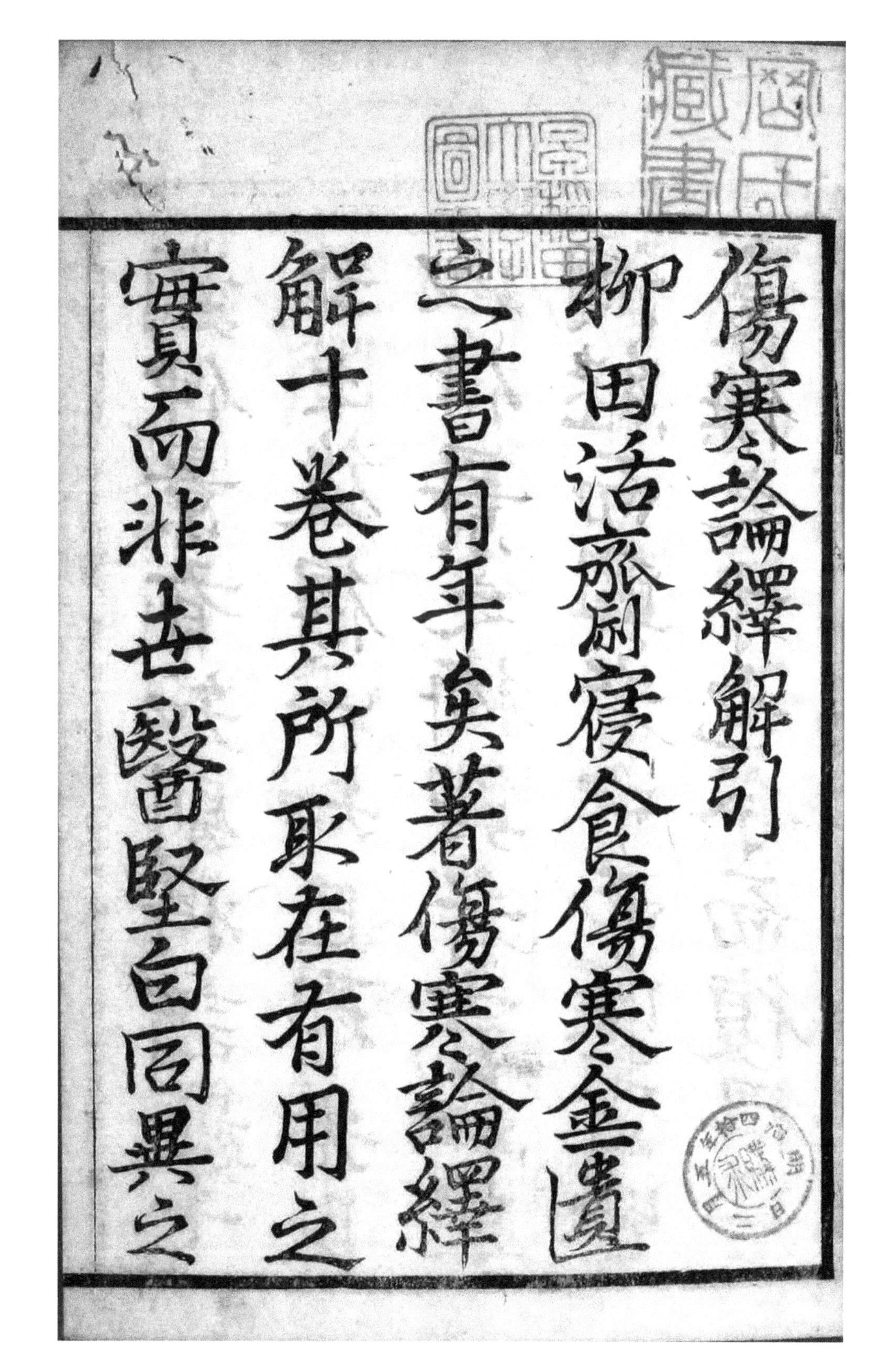

傷寒論繹解引

柳田活齋刷寢食傷寒金匱之書有年矣著傷寒論繹解十卷其所取在有用之實而非世醫堅白同異之

類仲景有知則將謂數千年之後得一知已耶先邑以仲景之術興者吉益東洞繼而興者中西深齋皆豪傑之才也今而復得活

齊然其所見各有同異夫
醫聖之書討論研究待衆
人之智而後彰矣蓋天地
之間不可不無一繹解也
及其請序爲弁一言云

嘉永四年十月廿三日

家學

且蓋天地間皆生機
者乃生機而後有殺
機自古人不明其義
以生機而變為殺機

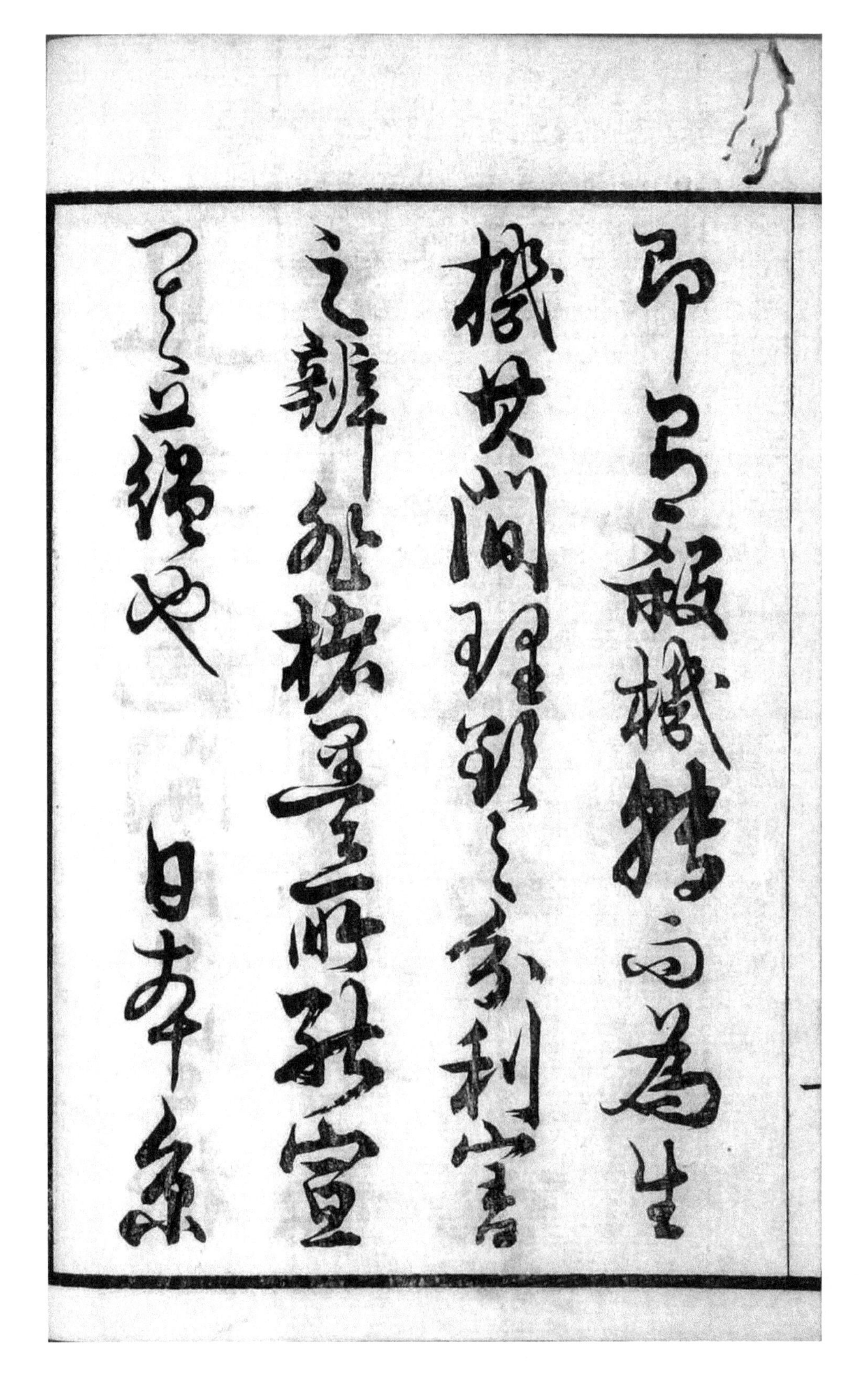

師柳田先生精醫術
存救衆懷號曰活齋
蓋不忍人之自蹈于殺
而必欲救人以生辛卯

歲寄游瓊浦遍治沈

痾迨今已三易寒暑

矣崎友津田生與余

訂海外交客窓忽過訪

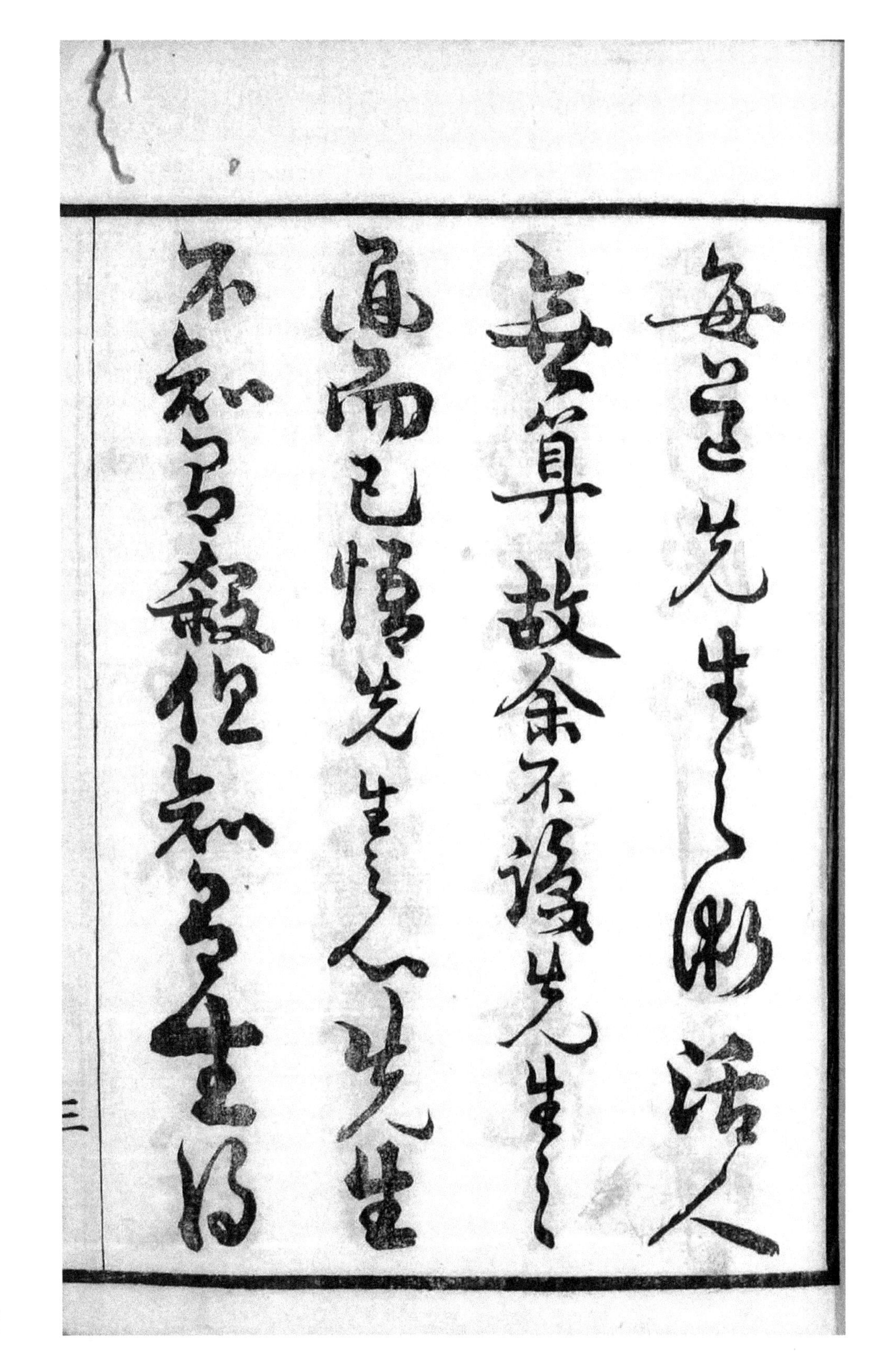

每念先生之術活人
無算故余不識先生之
面而已悟先生之人也先生
不知之者歟但知之者生得

三

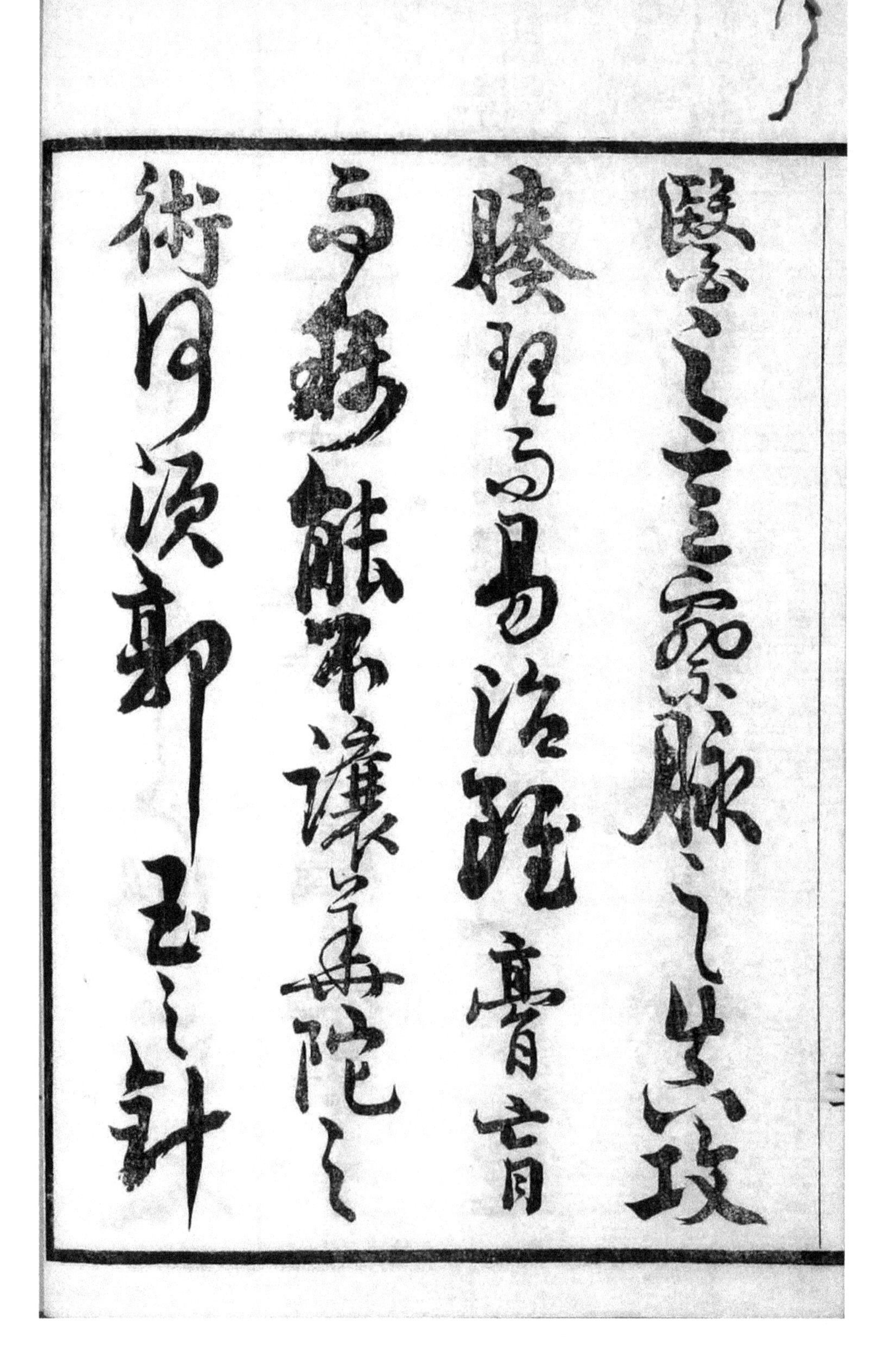

醫之三家脈之其攻
腠理而易治雖膏肓
而難能不讓華陀之
術何須郭玉之針

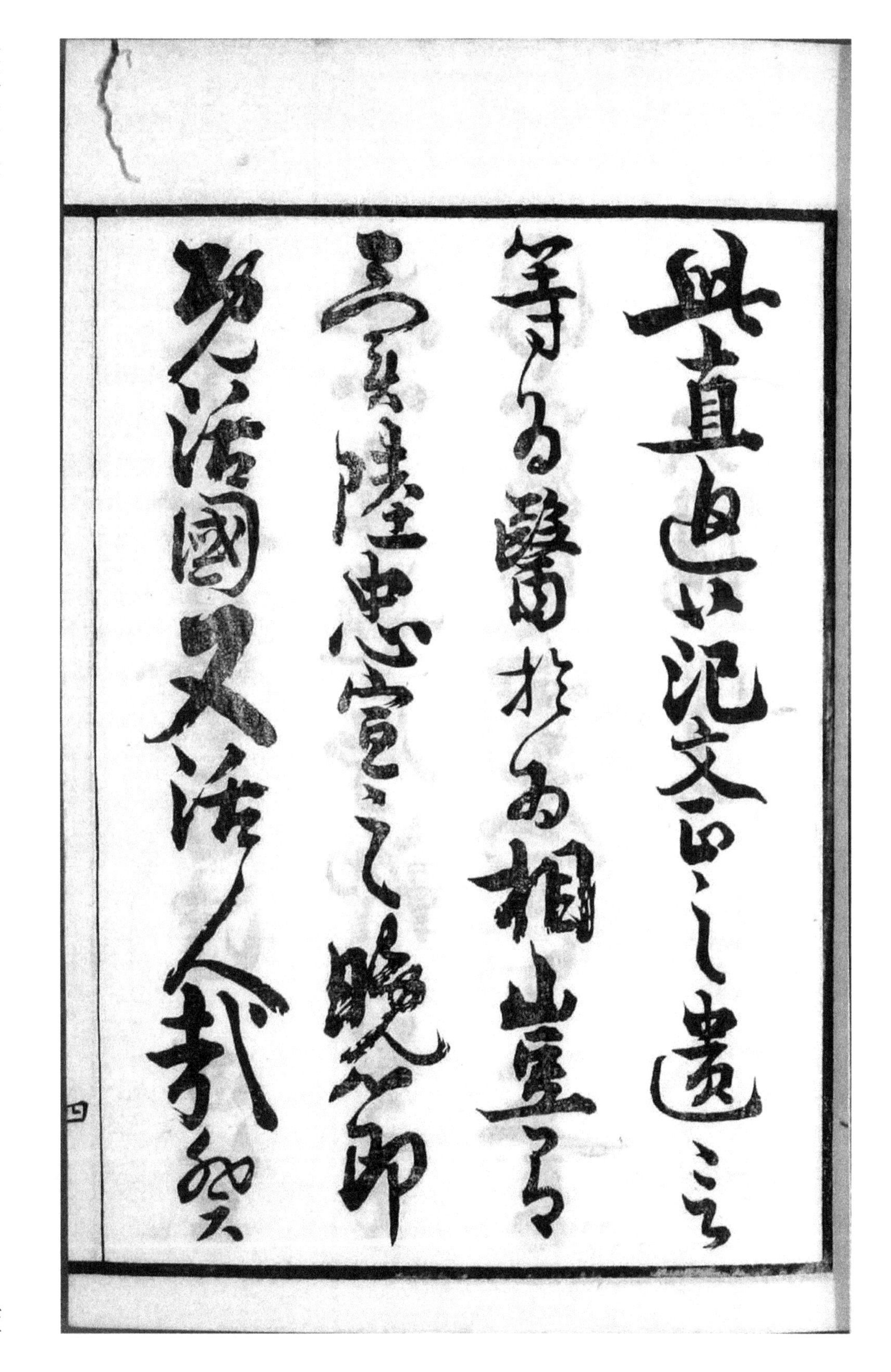

己丑穀後五日津田生
索余題序識之于
因戲筆以為之書
大清山人

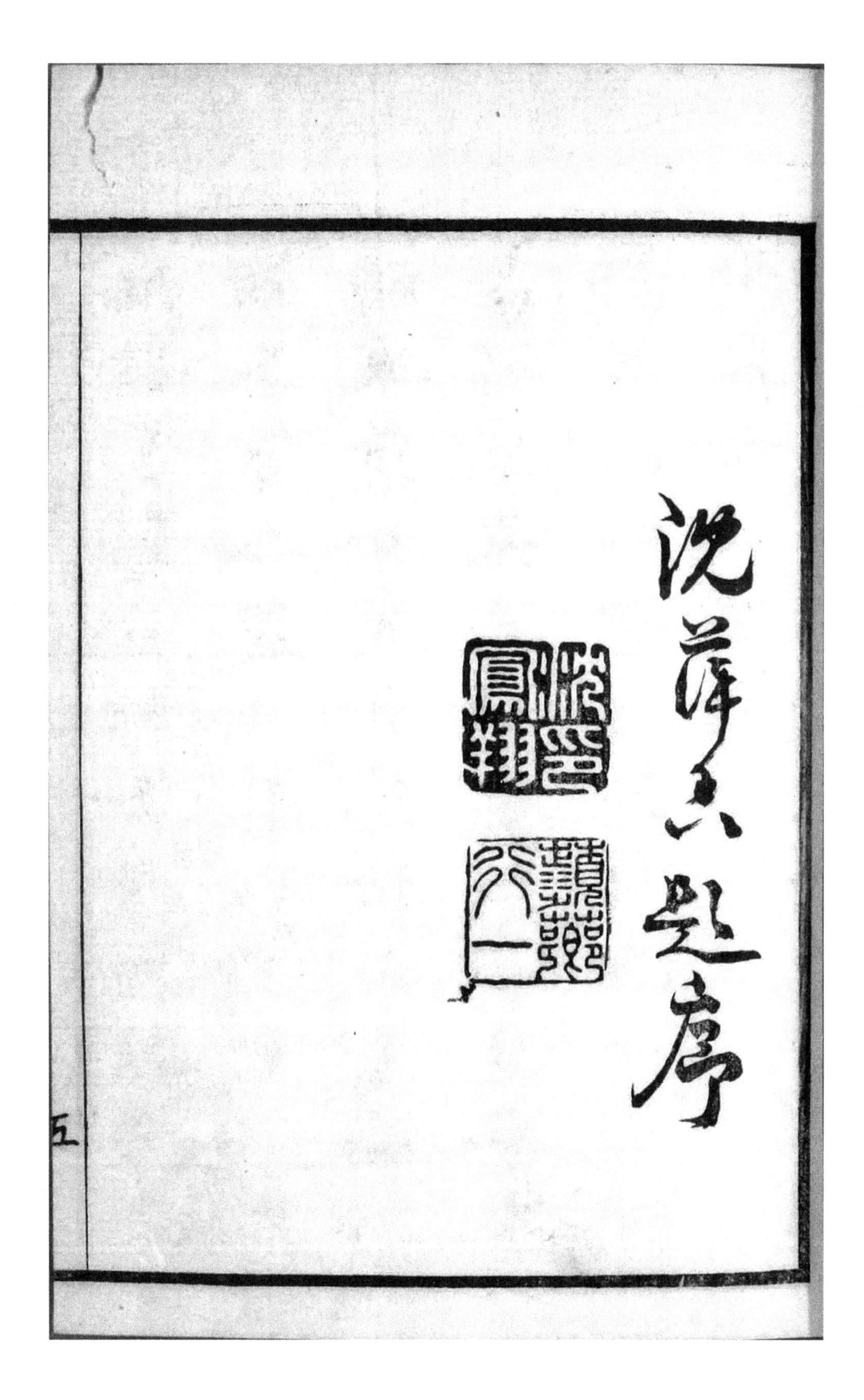

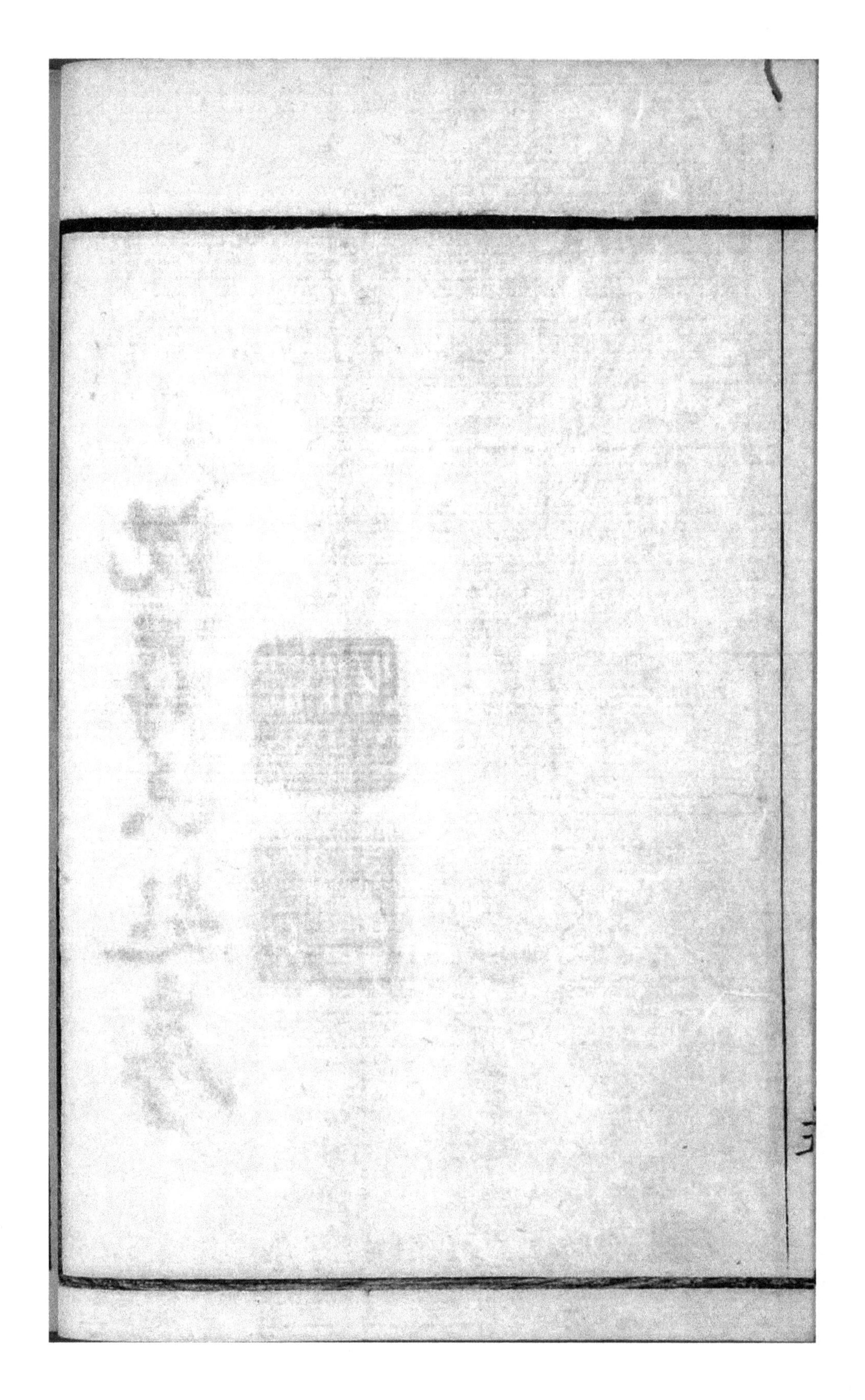

傷寒論繹解序

傷寒論者。醫氏之範也。而固不易解也。吳有性乃曰。不死於病。而死於經。非死於經。而不能解經之咎也。蓋聊攝以下。及我邦諸名家。註經者不可勝數矣。

然淂失相半者上也。十有一二可取者次也。至若無稽之徒臆決武斷。欲以取勝。則彼此錯謬。陰陽倒置。以駝為馬背腫。削足適履。於是乎。有不當汗而汗者。有不可下而下者。使吳子有死於經之歎。是經之一厄也。悲夫。
余家世業醫。家君常病諸註紛
紜無所適從。而欲以發揮其正
旨。故其說有發古人之未發者。
欲終其業不果。齎志而沒。嘗曰
醫經不明。不可以為醫。余時雖

少。記之心矣。既壯奉家學而不失。上取宋明之諸家。下至我邦之諸家。無不參考在崎陽三年。在京師若干年。驗之於病質。之於經。胸中似備一大規矩矣。已而以為世師經者。範其所範。

非張聖之範。施之病而不合則曰病變不測。古方不宜今病。經亦時有所窮也。余則信而不疑焉。施於病而不合。則以為吾所範。有所未盡也。勉厲不淂則不措。蘧伯玉行年五十。而知四十九年之非。治經之苦心亦如此。少壯以來所聚錄。諸家之說。堆而盈筐。其可者取之。其不可者捨之。加以先人所發明。及余所得之說。梓而以問於世。名曰傷寒論纏解。始於平脈法。終辨諸不可篇。凡諸家之所捨。而苟有益於治者。雖非張氏之舊。無不辨而盡之。經猶字畫於真蹟也。一經摹勒。則失一分之神采。經摹勒之數。則神采與面目。併而失之矣。故熟張氏之面目神采。

而後知諸註之失面目神采也。余之於此解。不死於病。而死於經之究言。其可以洗歟。余患傷寒二。今年辛亥復患之。以衰老之年。而罹此劇疾。其勢可畏也。然以所淂之術。自療之。果奏全効焉。張氏憫建安以来死亡者。傷寒居多。而有此作矣。驗之於二千歲後。如燭照而龜卜。張聖不我欺哉。故曰傷寒論者。醫氏之範也。嘉永四年之冬

栅田濟撰

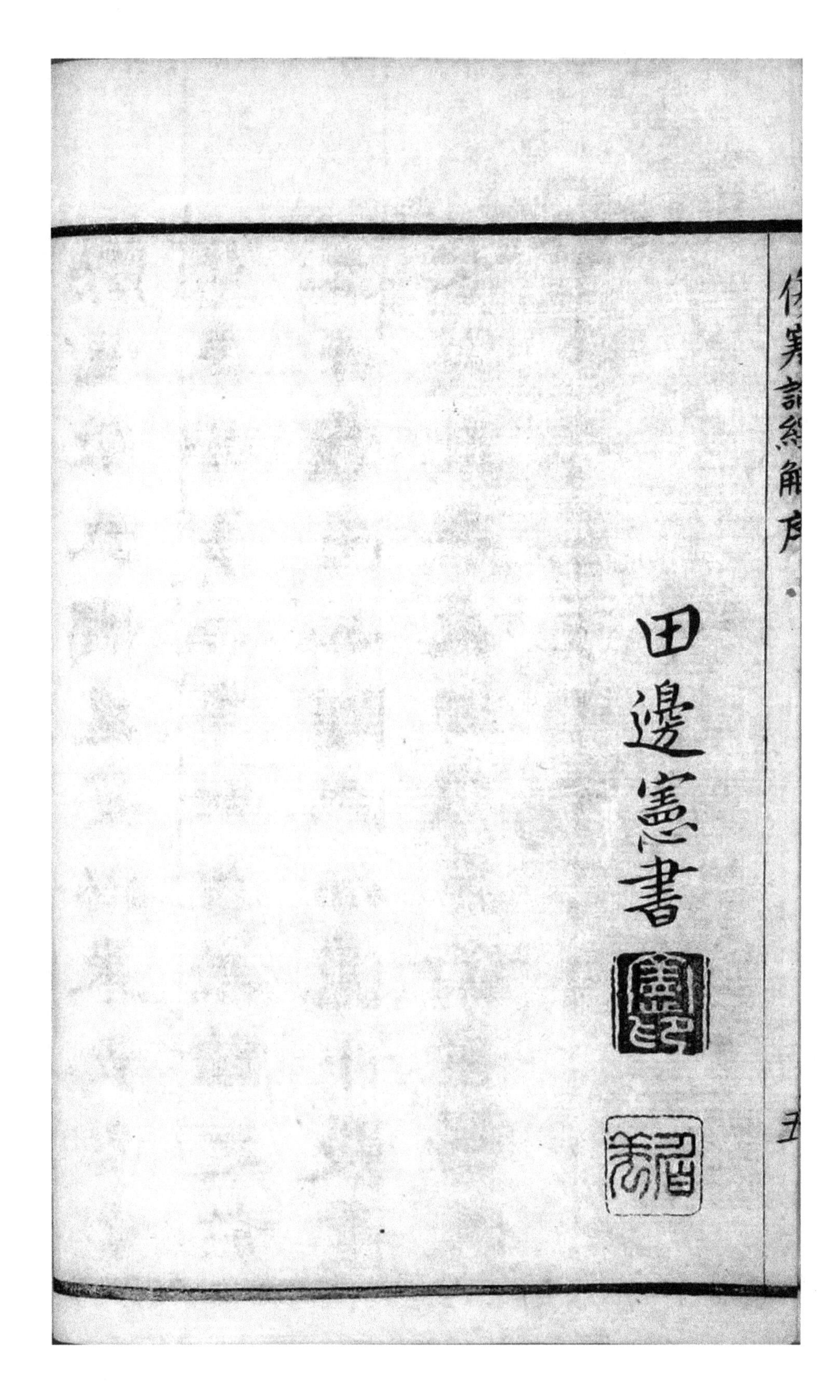

田邊憲書

傷寒卒病論集

傷寒者太陽病之一證而邪氣激劇自能爲轉變外感之病莫甚此矣故特以此表稱也卒當作雜傳寫之誤也觀下文云傷寒雜病論可見矣雜病者對傷寒謂痓溼暍等之諸病雜病論即今金匱要略是專論內因病論者論列之義蓋以論列編次傷寒雜病也集與下余所集應

論曰余每覽越人入虢之診望齊侯之色此以陳言所每慨歎痛哀故曰論曰史記扁鵲傳云扁鵲過虢虢太子死扁鵲曰太子病所謂尸蹷者也形靜如死狀太子未死也乃使弟子子陽厲鍼砥石以取外三陽五會有間太子蘇乃使子豹爲五分之熨以八減之齊和煑之以更熨兩脇下太子起坐更適陰陽但服湯二旬而復故扁鵲過齊齊桓侯客之入朝見曰君有疾在腠理不治將深桓侯曰寡人無疾扁鵲出桓侯謂左右曰醫之好利也欲以不疾者爲功後五日扁鵲復見曰君有疾在血脉不治恐深桓侯曰寡人無疾扁鵲出桓侯不悅後五日扁鵲復見曰君有疾在腸胃間不治將深桓侯不應扁鵲出桓侯不悅後五日扁鵲復見望見桓侯而退走桓侯使人問其故扁鵲曰疾

傷寒論繹解卷一　一

之在腠理也、湯熨之所及也、在血脈、鍼石之所及也、其在腸胃、酒醴之所及也、其在骨髓、雖司命無奈之何、今在骨髓、臣是以無請也、後五日桓侯體病、使人召扁鵲、扁鵲已逃去、桓侯遂死、未嘗不慨然歎其才秀也。此先歎美越人之秀才、且見虢侯得扁鵲、太子蘇、齊侯不能用扁鵲、其身死、而爲後怪當今居世士之所行之地、怪當今居世之士。曾不留神醫藥。精究方術。上以療君親之疾。下以救貧賤之厄。中以保身長全。以養其生。醫事者、療君親之疾、救貧賤之厄、保身長全、以養其生之道、而其所預亦大矣、是以居世之士、不可不留神醫藥、精究方術也、晉皇甫謐甲乙經序云、夫受先人之體、有八尺之軀、而不知醫事、此所謂遊魂耳、卽此義、但競逐榮勢。企踵權豪。孜孜汲汲。惟名利是務。字典云、孜、力篤愛也、勤也、汲汲、不休息貌、博雅、孜孜汲汲、劇也、山田正珍傷寒論集成云、競逐企踵、俱是貪望之意、榮勢權豪、幷指功名富貴言之、崇飾其末。

忽棄其本華其外而悴其内皮之不存毛將安附焉

皮本也毛末也崇飾其末忽棄其本華其外而悴其内是猶皮不存而望毛之附焉其可得乎

卒然遭邪風之氣嬰非常之疾患及禍至而方震慄降志屈節欽望巫祝告窮歸天束手受敗

字彙巫字注云祝也國語民之精爽不攜貳者則明神降之在男曰覡在女曰巫說文云祝祭主贊詞者齊按邪風謂非節之厲氣素問陰陽應象大論云邪風之至疾如風雨以此意謂非常之疾也言常華其外而悴其内乃嬰非常之疾患及禍至而方震慄降榮勢之志屈節爲士之節欽望巫祝惟事禱禳告窮歸天藥石不能以除病毒束手空受邪敗也

賫百年之壽命持至貴之重器委付凡醫恣其所措

賫賫之略字賫賫同唐孫思邈千金要方作賫賫持也百年之壽命素問上古天眞論云終其天年百歲乃去是也至貴之重器金玉珍器也是就榮勢言之委付任授也凡醫謂庸醫也恣其所措言

治法無規則、處方不定也。咄嗟嗚呼。厥身已斃。神明消滅。變為異物。幽潛重泉。徒為啼泣。痛夫。字彙云、厥、其也。斃、弊同、敗也。自有而無、謂之變。自無而有、謂之化。幽、深杳也。潛、藏也。濟按咄嗟嗚呼、重歎息也。神明、心神之靈明。素問靈蘭祕典論云、心者、君主之官、神明出焉、是也。異物、謂死而形變。重泉、即黃泉、謂地下也。徒為啼泣、言病者固親屬亦不得擇良醫、使其行正治、已死空為啼泣、是一因惟務名利、而不精究醫藥方術、乃信佞諛不德之凡醫、而委付之也。痛夫、深哀傷之辭。舉世昏迷。莫能覺悟。不惜其命。若是輕生。彼何榮勢之云哉。自居世之士、汎及世人。故曰舉世、昏迷莫能覺悟。言迷名利、而莫覺悟禍之至、不惜其命、言告窮歸天、束手受敗、若是輕生、言欽望巫祝、委付凡醫、蓋其所為如斯、則彼何榮勢之云哉。從當今居世之士、至此、千金方序論引張仲景曰、文與此少異。而進不能愛人知人。退不能愛身知己。遇災值禍。身居厄地。蒙蒙昧昧。惷若遊魂。哀乎。居厄地。處困苦之謂。蒙蒙昧昧。不爽明貌。惷。愚也。魂魄。一身之精。隨神出入。易繫辭云。遊魂爲變。若遊魂。謂絶無定見也。世人不修道德。惟名利爲之榮勢。而進不能愛人知人。退不能愛身知己。遇災値禍。身居厄地。蒙蒙昧昧。惷若遊魂然矣。豈不哀乎。趨世之士。馳競浮華。不固根本。忘軀徇物。危若冰谷。至於是也。趨世之士。謂奔走名利之士。馳競浮華。不固根本。是與崇飾其末。忽棄其本應。忘軀徇物。是與華其外。而悴其內應。危若冰谷。履冰臨谷之謂。是與身居厄地。蒙蒙昧昧。惷若遊魂應。此一節。言上所擧之數事。皆由於趨世之士。馳競浮華。不固根本。忘軀徇物起。而危若冰谷。至於是也。以總收上數節焉。此一段。暗含齊侯不能用扁鵲而死之意。余宗族素多。向餘二百。建安紀年以來。猶未十稔。其死亡者。三分有二。傷寒十居其七。宗。謂流派所出。族。謂父子孫三輩之親。紀年。紀元之年也。稔。年也。熟也。穀一熟爲一年。其死亡者。三分有二。此乃當今居世之士、欽望巫祝、委付凡醫、故如是爾。傷寒十居其七、言病傷寒死者多也。感往昔之淪喪傷横夭之莫救、乃勤求古訓、博采衆方。往昔、前代也。淪喪、沒死也。横、不順理也。夭、短折也。不盡天年、謂之夭。往昔之淪喪、言紀年以來、宗族之死亡也。横夭、不可死而死也。古訓、遠代之醫訓。衆方、諸藥方。撰用素問九卷、八十一難、陰陽大論、胎臚藥錄、并平脈辨證。字典、撰與選同、擇也。凡孕而未生、皆曰胎。腹前曰臚。正珍曰、林億素問序注云、黃帝內經十八卷。今有鍼經九卷、素問九卷、共十八卷。又素問外九卷。漢張仲景及西晉王叔和脈經、只爲之九卷、皇甫士晏、名爲鍼經。按隋書經藉志、謂之九靈、王冰名爲靈樞。八十一難、陰陽大論、胎臚藥錄、平脈辨證、諸書、今皆不傳。太平御覽七百二十二、引張仲景方序曰、衞汎好醫術、少師仲景、有才識、撰四逆三部厥經、及婦人胎藏經、小兒顱顖方三卷。由此考之、所謂胎臚、乃婦人少兒之義已。多紀元簡傷寒論輯義云、八十一難、卽難經也。爲傷寒雜病論合十六卷。字彙云爲作造也可舒卷者曰卷編次者曰帙正珍曰傷寒雜病論原是一部書名而非二部相合而爲十六卷也雖未能盡愈諸病。庶可以見病知源。諸病該傷寒雜病言也見病知源言見所病而知其所來之源也源病之本元與病因自異矣因謂病之所由來也若能尋余所集。思過半矣。思卽見病知源而欲愈諸病之思此一段暗含下號候得扁鵲而太子蘇之意蓋所以宗族之死亡多橫夭之莫救者全因居世之士不精究方術與今之醫不念思求經旨乃懼爲傷寒雜病論是故先誹世人之昏迷名利而無德義而後言醫事也夫天布五行。以運萬類。人稟五常。以有五藏。五行者木火土金水五常者五物運行之常氣五藏者肝心脾肺腎文子曰人者天地之心五行之端是以稟天地五行之氣而生經絡府俞。陰陽會通。玄冥幽微。變化難極。自非才高識妙。豈能探其理致哉。滑伯仁曰直行者謂之經傍出者謂之絡經猶江漢之正流。絡則沱灒之支派。每經皆有絡。十二經有十二絡。傷寒論輯義云。府。氣府。俞。俞穴。才高。與首段才秀應。字彙云。徐曰。物之脈理。惟玉最密。故从玉。致者。極也。到也。濟按此言人身五藏。經絡府俞。陰陽會通。變化。其理致難極也。**上古有神農。黃帝。岐伯。伯高。雷公。少俞。少師。仲文。**淮南子云。神農嘗百艸滋味。一日而七十毒。由是醫方興焉。帝王世紀云。黃帝使岐伯嘗味草木。定本艸經。造醫方。以療衆疾。濟按岐伯。伯高。雷公。少俞。少師。並見于素靈。仲文。未知出何書。**中世有長桑。扁鵲。**長桑者。扁鵲之師。扁鵲。即越人之字。上曰越人。此曰扁鵲者。以並稱字故也。扁鵲傳云。扁鵲者。勃海郡鄭人也。姓秦氏。名越人。少時爲人舍長。舍客長桑君過。扁鵲獨奇之。常謹遇之。長桑君亦知扁鵲非常人也。出入十餘年。乃呼扁鵲私坐閒與語曰。我有禁方。年老欲傳與公。公毋泄。扁鵲曰敬諾。乃出其懷中藥予扁鵲。飲是以上池之水。三十日當知物矣。乃悉取其禁方書。盡與扁鵲。忽然不見。殆非人也。扁鵲以其言。飲藥三十日。視見垣一方人。以此視病。盡見五藏癥結。特以診脈爲名耳。**漢**

有公乘陽慶及倉公。下此以往、未之聞也。公乘陽慶者、倉公之師。史記倉公傳云、太倉公者、齊太倉長、臨菑人也、姓淳于氏、名意。少而喜醫方術。高后八年、更受師同郡元里公乘陽慶。慶年七十餘、無子、使意盡去其故方、更悉以禁方予之、傳黃帝扁鵲之脈書、五色診病、知人死生、決嫌疑、定可治、及藥論甚精。受之三年、爲人治病、決死生多驗。此擧自上古至前漢、才高識妙、有名於醫道聖賢、爲識今醫之所爲之地。

觀今之醫、不念思求經旨、以演其所知。今之醫、即前段所謂凡醫。前論居世之士、故曰醫藥方術。此直就醫人言、故曰經旨。經旨、古醫經之旨趣。演、水長流貌。又廣也。

各承家技、終始順舊。技、藝也。方術也。言各惟承行家傳之方術、終始順舊法、而不能進修于善矣。

省疾問病、務在口給。言察在問病苦、務在口給、而不得其實詣。論語、禦人以口給。何晏注、佞人口辭捷給。即此意。

相對斯須、便處湯藥。斯須、猶須臾、不久也。言不盡思慮、便投劑。

按寸不及尺、握手

不及足。人迎趺陽。三部不參。按、謂以指切脈、寸尺。於寸口脈言也。陰陽應象大論云、按尺寸、觀浮沉滑濇、而知病所生以治、是也。握手不及足、言診手脈、而不候足脈。寸口者、手太陰肺經脈氣之所行、在於腕上側動脈應手、是也。此即中部。三候之一脈。人迎者、足陽明胃經脈氣之所行。在結喉兩旁、是也。此屬上部。趺陽者、足陽明胃經脈氣之所行、衝陽穴、在跗上、是也。此屬下部。三部者、素問決死生論云、帝曰、何謂三部。岐伯曰、有上部、有中部、有下部。部各有三候、是也。此諸脈、皆是血氣之出入要會、所以能知病所在、決死生。乃不可不參考矣。動數發息。不滿五十。短期未知。脈經云、一呼一吸爲一息、氣行六寸。人十息、脈五十動、氣行六尺。又云、五十動一止、五歲死。又云、脈來五十投、而不止者、五藏皆受氣、即無病。是言當須候五十動、後知死與無病也。短期、乃五歲死等之短期。故不滿五十動、則短期未足知也。決診九候。曾無髣髴。上已言三部、此乃言九候。決死生論云、部各有三候。三候者、有天有地有人也。必指而導之、乃以爲質。上部天、兩額之動脈。上部地。兩頰之動脈。上部人。耳前之動脈。中部天。手太陰也。中部地。手陽明也。中部人。手少陰也。下部天。足厥陰也。下部地。足少陰也。下部人。足太陰也。吳崐注。隆古診脈。不獨寸口。於諸經之動脈皆診之。此云三部九候是也。兩額之動脈。足少陽膽經脈氣所行。太陽穴分也。兩頰之動脈。足陽明胃經脈氣所行。巨髎分也。耳前之動脈。手少陽三焦經脈氣所行。耳門分也。手太陰肺經脈氣所行。寸口是也。手陽明大腸經脈氣所行。合谷分也。手少陰心經脈氣所行。神門分也。足厥陰肝經脈氣所行。五里分也。在氣衝下三寸。動脈應手。女子取太衝。在足大指本節後二寸陷中是。足少陰腎經脈氣所行。內踝後大谿分也。足大陰脾經脈氣所行。在魚腹上越兩筋之間。動脈應手。箕門分也。候胃氣則取足跗上之衝陽。字彙云。候。訪也。又證候。髣髴。猶依稀也。聞見不審貌。無髣髴。謂無相似也。

明堂闕庭盡不見察。所謂窺管而已。

靈樞五色篇云。明堂者鼻也。闕者眉間也。庭者顏也。此言失望法。扁鵲傳。扁鵲仰天歎曰。夫子之爲方也。若以管窺天。以郄視文。此所謂。卽扁鵲所謂也。窺管。言所見小也。

夫欲

視死別生實爲難矣。夫、有所指之辭。周禮疾醫注、少曰死、老曰終。生、活也。不死也。言今醫之所爲若斯、而夫欲視死別生、實爲難得矣。傷寒論輯義云、齊侯猶生、而視其死、虢太子已死、而別其生、首以越人之才秀起、故結以二句。夫天以下、止難矣、千金方載治病略例首、文與此少異。孔子云、生而知之者上。學則亞之。多聞博識知之次也。余宿尚方術、請事斯語。傷寒論輯義云、論語季氏篇云、孔子曰、生而知之者、上也。學而知之者、次也。困而學之、又其次也。文異義近。生而知之者、乃前段所謂其才之秀者也。學與多聞博識、乃前段所謂勤求古訓、博采衆方之類是也。蓋生而知之者、天之所賦、不可企而及。學與多聞博識、人之所能、皆可勤而至矣。當今居世之士、不留神醫藥、精究方術、獨仲景宿尚之。然無越人之才之秀、惟欲多聞博識、以精究之、故誦孔子語、以服膺之而已。此蓋仲景之謙辭。漢長沙守南陽張機著。漢、後漢。長沙、南陽、俱郡名。屬楚。仲景全書、醫林列傳云、張機、字仲景、南陽人也。受業於同郡張伯祖、善於治療。尤精經方。舉孝廉。官至長沙太守。後在京師。爲名醫。於當時爲上手。以宗族二百餘口。建安紀年以來。未及十稔。死者三之二。而傷寒居其七。乃著論二十二篇。證外合三百九十七法。一百一十二方。其文辭簡古奧雅。古今治傷寒者。未有能出其外者也。其書爲諸方之祖。時人以爲扁鵲倉公。無以加之。故後世稱爲醫聖。

按扁鵲傳云。使聖人預知微。能使良醫得蚤從事。則疾可已。身可活也。人之所病。病疾多。而醫之所病。病道少。故病有六不治。驕恣不論於理。一不治也。輕身重財。二不治也。衣食不能適。三不治也。陰陽并藏氣不定。四不治也。形羸不能服藥。五不治也。信巫不信醫。六不治也。有此一者。則重難治也。

蓋此序論者。全由此六不治之意發而悲天憫人。退名利。進德義。披心腹。吐情實。以諄諄教諭。欲令人免災禍橫夭。其仁不鮮矣。誰可不信從乎哉。

傷寒論繹解卷第一

平安　柳田濟子和　著

辨脈法第一

素問脈要精微論云夫脈者血之府也長則氣治短則氣病數則煩心大則病進上盛則氣高下盛則氣脹代則氣衰細則氣少濇則心痛渾渾革至如涌泉病進而色弊綿綿其去如弦絶死多紀元簡脈學輯要引董西園醫級云血充脈中緣氣流行肢體百骸無所不到故爲氣血之先機憑此可以察氣血之盛衰疾病未形脈先昭著故云先機所謂脈者即經脈也若專以經爲脈則反遺言氣血但言血則遺氣但言氣則遺血故以脈明之凡邪正虚實寒熱憑此可推而得焉

問曰脈有陰陽何謂也答曰凡脈大浮數動滑此名陽也脈經無大脈香川太沖行餘醫言云大小之反形狀展推脈經云浮脈舉之有餘按之不足數

脈。去來促急。注一曰。一息六七至。動脈。見於關上。無頭尾。大如豆。厥厥然動搖。滑脈。往來前卻。流利展轉替替然。與數相似。

脈沈濇弱弦微。此名陰也。脈經云。沈脈。舉之不足。按之有餘。濇脈。細而遲。往來難且散。或一止復來。弱脈。極軟而沈細。按之欲絕指下。弦脈。舉之無有。按之如弓弦狀。微脈。極細而軟。或欲絕。若有若無。

凡陰病見陽脈者生。陽病見陰脈者死。陰病。謂陽虛。寒邪直進於裏。而無發熱。陽病。謂陽盛。熱氣發於表。又病生於內為陰。生於外為陽。此非獨言傷寒。故曰凡。今此書。經文一遵宋板。因林億注文悉記之。若所謂音硬下同。一作微等是也。

此章辨脈法之大綱也。脈之大體。不離陰陽。其大要。凡大浮數動滑。是陽盛邪熱發動之象。故名陽。沈濇弱弦微。是陽虛寒邪結聚之象。故名陰。凡陰病見陽脈者。正氣勝邪。而尚能發於外。故為生。陽

病見陰脈者邪氣勝正而盡陷於內故爲死

問曰脈有陽結陰結者何以別之答曰其脈浮而數能食不大便者此爲實名曰陽結也期十七日當劇其脈沉而遲（脈經云遲脈呼吸三至去來極遲）不能食身體重大便反鞕（音硬下同）名曰陰結也期十四日當劇

此章辨脈陽結陰結也脈浮而數表熱盛也能食胃氣和也而不大便者陽間熱燥結糞不行也故此爲實是陽氣鬱結眞陰枯燥之所致故名曰陽結也陽結如斯而既經火成數七更至七數則陽氣偏勝益甚故期十七日當劇也脈沉而遲裏寒

甚也。不能食，胃中冷也。身體重，陽氣衰也。胃中冷者，大便當溏瀉，而反鞕者，氣滯不下降，腸間虛燥可知也。是陰氣凝結，眞陽虛脫之所致，故名曰陰結也。陰結如斯，而旣經水成數六，更至金生數四，則陰氣偏勝益甚，故期十四日當劇也。所以陽結至七而劇，陰結不至六而劇者，陽道常饒，陰道常乏之故也。

問曰：病有洒淅惡寒而復發熱者，何？答曰：陰脈不足，陽往從之；陽脈不足，陰往乘之。洒淅，寒慄貌。惡，烏故切，烏去聲，憎也。發熱，謂熱氣發於皮表。曰：何謂陽不足？答曰：假令寸口脈微，名曰陽不足陰氣上入陽中則洒淅惡寒也曰何謂陰不足答曰尺脈弱名曰陰不足陽氣下陷入陰中則發熱也陰陽不足脈多而此特擧尺寸微弱以諭故曰假令假令借告之辭

此章承上陽結陰結而更辨陰陽不足相從乘不協和交勝而惡寒發熱之脈理也寸口脈爲陽候衛微者氣虛故爲陽不足乃尺之陰氣乘其虛上入寸之陽中則陽退陰勝而惡寒也尺脈爲陰候榮弱者血虛故爲陰不足乃寸之陽氣從其虛下陷入尺之陰中則陰退陽勝而發熱也夫脈之不和者本是從體之陰陽不和上下然而此惟主論

脉義故所説如是耳。

陽脉浮一作微陰脉弱者則血虚血虚則筋急也靈樞决氣篇云中焦受氣取汁變化而赤是謂血平脉法云胃氣實則穀消而水化也穀入於胃脉道乃行水入於經其血乃成濟按筋在肉中絡繫骨節令之不解離者之名筋急者筋牽引而不柔緩也其脉沉者榮氣微也其脉浮而汗出如流珠者衛氣衰也素問痺論云榮者水穀之精氣也和調於五藏灑陳於六府乃能入於脉也故循脉上下貫五藏絡六府也衛者水穀之悍氣也其氣慓疾滑利不能入於脉也故循皮膚之中分肉之間熏於肓膜散於胸腹橘春暉傷寒外傳云血液滋榮肌膚者名之曰榮矣卽陰之用也陽氣衛護腠理者名之曰衛矣卽陽之用也古醫書就陰陽之體而言之曰氣血就陰陽之用而言之曰榮衛夫血液滋榮則面目悦澤手足光潤若血液虚竭則顔色憔悴四肢枯燥陽氣衛護則毛孔固密肌膚充實若陽氣耗散則汗泄氣脱濟按汗津液

之從腠理出于皮外者之名。如流珠。形容汗脫出甚言也。榮氣微者。加燒鍼。則血留不行。更發熱而躁煩也。程林金匱直解云。燒鍼。即素問燔鍼。焠鍼。川蜀謂之煨鍼。用以行痹潰癰。而昧者以治傷寒熱病。非。濟按此證本兼陽浮。故於發熱曰更。躁正虛不勝邪。而擾動之爾。煩熱氣欲發。而難發。苦悶之爾。邪氣進而躁。熱氣尚欲發而煩也。故於邪進者。曰躁煩。

此章以下。至脈弦而大章。乃就上二章之辨。申明陰陽榮衛微衰。陽結陰結。及諸脈狀也。陽脈陰脈。謂寸尺也。陽脈浮。陰脈弱者。陰血損耗。而陽氣浮越。則血虛。血虛則筋脈失滋養。故筋急也。其脈沉者。謂上陰脈弱之沉也。沉爲陰。榮爲陰。今陰脈沉者。血氣虛潛。故榮氣微也。其脈浮。指言上陽脈浮也浮爲陽衛爲陽今陽脈浮而汗出如流珠者陽氣浮越脫而不護腠理汗拜浮氣出故衛氣衰也榮氣微者卽上文榮氣微榮氣微者血氣虛潛若誤加燒鍼則血益耗散虛血畱而不行火熱動陽故更發熱而躁煩也

脈藹藹如車蓋者名曰陽結也一云秋脈按詩大雅藹藹王多吉士毛傳藹藹猶濟濟也又草木叢雜貌蓋覆也

張思聰傷寒論集注云合下五節承上文陽結陰結陽氣虛微陰血不足之意謂有是證必有是脈故爲効象形容以言脈也脈藹藹如車蓋者柔軟

搖蕩虛浮于上。不能內歸于陰。故名曰陽結也。

脈累累如循長竿者。名曰陰結也。一云夏脈。按累。疊也。仲景全書。作疊。纍。繫也。又聯絡貌。樂記。纍纍乎端如貫珠。循。摩也。竿。竹挺也。

張思聰曰。脈累累然如循長竿之節。弦堅而濇。不能上達于陽。故名曰陰結也。此擬脈象而申明上文之陽結陰結者如此。

脈瞥瞥如羹上肥者。陽氣微也。說文。瞥。過目也。徐曰。瞥然。暫見也。脈經圖說云。羹上肥者。如肥珠浮于羹上。來之微大。去之且衰。亦名釜沸。息數十二至。而一代。皆一呼一吸是也。關上脾部見之。三日死。名曰浮尸。多紀元簡醫賸云。瞥瞥如羹上肥。世人多不解。井金峨先生嘗謂予云。瞥瞥財見難認之義。肥謂肉之脂液。浮乎羹面者。凡羹中有肉。則其面有小輪無數。光彩不定。瞥瞥然相逐。此即肥也。後予得數證。以質先生。稱善。

張思聰曰。脈瞥瞥然。如羹上之肥。浮泛於上。難以尋按。故曰陽氣微也。

脈縈縈如蜘蛛絲者。陽氣衰也。一云陰氣。濟按。作陰氣者是。說文。縈。校卷也。成無己傷寒論注解云。如蜘蛛絲者。至細也。瀕湖脈學云。細脈。縈縈血氣衰。

脈縈縈如蜘蛛絲者。脈道纖小。惹惹而不利之象。故爲陰氣衰也。

脈綿綿如瀉漆之絕者。亡其血也。詩王風。綿綿葛藟。注長不絕之貌。

張思聰曰。脈綿綿然。如瀉漆之絕。頭大而末小。此陽氣外越。陰血內虛。不和于陽。故曰亡其血也。

脈來緩時一止復來者名曰結（脈經云：緩脈去來亦遲，小䮃於遲。結脈往來緩，時一止復來。）脈來數時一止復來者名曰促（一作縱。脈經云：促脈來去數，時一止復來。）脈陽盛則促陰盛則結此皆病脈

張思聰曰合下三節首節言陽盛則促陰盛則結次節言陰陽相搏其脈則動末節言陰陽同等其脈則緩也脈來緩者一呼一吸不及四至也時一止者暫有停止不相續也復來者暫一止而復來也此緩而時止乃陰氣有餘陽氣不足故此名爲結脈脈來數者六至爲數亦時一止復來者乃陽氣有餘陰氣不足故此名爲促脈夫陰虛陽盛則

促陽虛陰盛則結故曰此皆病脈

陰陽相搏名曰動陽動則汗出陰動則發熱形冷惡寒者此三焦傷也五牛道人傷寒論析義云搏兩物交攻也非打擊之謂也難經三十一難云三焦者水穀之道路氣之所終始也上焦者在心下下鬲在胃上口主內而不出其治在膻中玉堂下一寸六分直兩乳間陷者是中焦者在胃中脘不上不下主腐熟水穀其治在齊傍下焦者當膀胱上口主分別清濁主出而不內以傳道也其治在齊下一寸故名曰三焦其府在氣街三十八難云所以府有六者謂三焦也有原氣之別焉主持諸氣有名而無形其經屬手少陽此外府也故言府有六焉

若數脈見於關上上下無頭尾如豆大厥厥動搖者名曰動也寸曰寸口尺曰尺中關曰關上蓋關者陰陽之交關脈經云陽出陰入以關爲界今尺之陰寸之陽相搏於關上故數脈見於關上也上下關之上下也頭脈來之初頭尾脈去之根本上下

無頭尾如豆大狀脈形圓大也厥蹶通字彙云蹶蹶動而敏於事也厥厥動搖謂脈氣有力跳突動搖也

張思聰曰陰陽相搏名曰動者言陰陽皆盛兩相搏激而爲動脈也兩相搏激必有後先若陽氣先動而搏陰則汗出陰氣先動而搏陽則發熱若陽動無汗陰動無熱但形冷惡寒者乃三焦陽熱之氣不能外出以溫肌肉充皮膚故曰此三焦傷也夫有動脈之義必有動脈之形若數脈見於關上上下無頭尾如豆大厥厥動搖者名曰動也此因動脈之義而更爲效象形容者如此

陽脈浮大而濡陰脈浮大而濡陰脈與陽脈同等者

名曰緩也。此濡者，非謂脈形，但示耎弱耳。濡即軟，軟脈極軟而浮細，或小而軟，與浮大不相屬。

成無己曰：陽脈寸口也，陰脈尺中也。上下同等，無有偏勝者，是陰陽之氣和緩也，非若遲緩之有邪也。陰陽偏勝者，爲結爲促；陰陽相搏者，爲動；陰陽氣和者，爲緩。學者不可不知也。

脈浮而緊者，名曰弦也。弦者狀如弓弦，按之不移也。脈緊者，如轉索無常也。脈經云：緊脈數如切繩狀。又云：弦與緊相類。瀕湖脈學云：緊脈來往有力，左右彈入手。緊乃熱爲寒束之脈，故急數如此，要有神氣。素問謂之急。

張思聰曰：合下二節，申明弦脈有虛實之不同，而其體皆勁急。故此節以弦脈合緊脈，下節以弦脈合華脈也。脈浮而緊者。弦脈之象。此名曰弦也。弦者。如弓弦之勁急。雖按之而不移。所以申明浮緊名弦之義也。若但緊者。如轉索之無常。非若弓弦之一線。此言正氣受邪。其脈弦。弦脈似緊。而究不同於緊脈者如此。

脈學輯要云。按緊之一脈。古今脈書。無得其要領者。皆謂與弦相似。予家君嘗曰。素問仲景所謂緊脈。必非如諸家所説也。蓋緊卽不散也。謂其廣有界限。而脈與肉劃然分明也。寒主收引。脈道為之緊束。而不敢開散渙漫。故傷寒見此脈也。乃不似

傷寒論繹解卷一　十五　包荒堂藏版

弦脈之弦組三關端直挺長也夠於數脈之呼吸六七至無髣髴也如轉索如切繩戴氏輩雖巧作之解而不知轉索切繩原是謬說按金匱曰脈緊如轉索無常者有宿食（脈經作左右無常）此謂其脈緊而且左右夭矯如轉索無常者有宿食之候也非謂緊脈即其狀如轉索無常也叔和乃誤讀此條於辨脈法則云脈緊者如轉索無常也亦何不思之甚也而更又生一說於脈經則云數如切繩狀去緊之義益遠矣後世諸家率祖述叔和故盡不可從也嗚呼緊脈之義從前模糊幸賴家君之剖析

得闡發古賢之本旨。孰不遵守乎哉。傷寒例云。脈至如轉索者。其日死。緊脈。豈盡死脈乎。此書詳論諸脈之要領。宜閱。

脈弦而大。弦則爲減。大則爲芤。減則爲寒。芤則爲虛。寒虛相摶。此名爲革。脈經云。芤脈。浮大而軟。按之中央空。兩邊實。革脈。有似沉伏。實大而長微弦。脈學輯要云。張三錫四診法云。芤草名。其葉類蔥而中空。指下浮大而無力者。是也。徐春甫古今醫統云。革爲皮革。浮弦大虛。如按鼓皮。內虛外急。瀕湖脈學云。革卽芤弦二脈相合。故均主失血之候。諸家脈書。皆以爲牢脈。故或有革無牢。有牢無革。混淆不辨。不知革浮。牢沉。革虛。牢實。形證皆異也。

婦人則半產漏下。男子則亡血失精。五六月墮胎者。謂之半產。漏下。經水滲漏而不斷也。亡血。斥吐衄下血。金瘡失血言也。決氣篇云。兩神相摶。合而成形。常先身生。是謂精。失精。謂遺失精液也。

脈弦。精血損耗。而陰寒凝結之所致。故爲減。爲寒。大。虛陽浮越。張溢于外。重按必空濡。乃外有餘。而內不足。故爲芤。爲虛。虛寒相搏。卽芤弦二脈相合。內虛外急。此名爲革。故爲婦人則半產漏下。男子則亡血失精之候。

問曰。病有戰而汗出因得解者何也。答曰。脈浮而緊。按之反芤。此爲本虛。故當戰而汗出也。其人本虛。是以發戰。以脈浮。故當汗出而解也。若脈浮而數。按之不芤。此人本不虛。若欲自解。但汗出耳。不發戰也。戰汗者。先振慄惡寒。而後發熱汗出也。解。病毒解散之稱。自解。謂不須藥治而解也。

張思聰曰。合下七節。皆言病解。此節言戰而汗出。病因得解。又申明本虛則戰。不虛則但汗出也。脈浮而緊。邪正相搏之脈也。脈緊則按之當實。今按之反芤。芤則爲虛。故曰此爲本虛。故當戰而汗出也。夫本虛但當發戰。不能汗解。故申言其人本虛。故當發戰。以脈兼浮。故當汗出而解也。夫脈非但浮。浮而芤也。故設言若脈浮而數。按之不芤。此人本不虛。若欲自解。但汗出耳。不發戰也。

問曰。病有不戰而汗出解者。何也。答曰。脈大而浮數。故知不戰汗出而解也。

此承前章。而辨病不戰而汗出解之脈也。言寒邪進而襲陽表。氣潛行於內。則發戰。陽氣鬱積。熱發於外。則汗出。今脈大而浮數者。表熱盛而邪氣退。故知不戰汗出而解也。

問曰。病有不戰不汗出而解者何也。答曰。其脈自微。此以曾發汗。若吐。若下。若亡血。以內無津液。決氣篇云。腠理發泄。汗出溱溱。是謂津。穀入氣滿。淖澤注于骨。骨屬屈伸。洩澤補益腦髓。皮膚潤澤。是謂液。此陰陽自和。必自愈。故不戰不汗出而解也。愈。病毒去。而日復常之稱。

此更辨病不戰不汗出而解之脈也。言其脈自微者。氣血虛。邪氣亦微也。此以曾發汗。若吐。若下。若亡血。以內無津液。微邪更衰。此陰陽氣自和。必將自愈。故不戰不汗出而解也。

問曰。傷寒三日。脈浮數而微。病人身涼和者何也。答曰。此爲欲解也。解以夜半。脈浮而解者。濈然汗出也。濈然身潤和小汗出貌。脈數而解者。必能食也。能食。人身之常。而言之者。示胃無病也。脈微而解者。必大汗出也。王宇泰。傷寒準繩云。上言脈微。故不汗出而解。此言脈微而解。必大汗出。上以曾經吐下亡血。邪正俱衰。不能作汗而解。此以未經汗出。血氣未傷。正盛邪衰。故大汗出而解。

此章辨傷寒欲解之諸脈證。及解時也。言傷寒三日。邪氣將入於裏之時。病人當寒熱盛。脈緊。而脈浮數而微。身涼和者。是邪氣衰。但鬱熱之餘結存也。故爲欲解也。解以夜半者。此陽病。故得陰而解也。若脉但浮而解者。熱氣浮越。故濈然汗出也。脉數而解者。熱淺而損血液。然必能食者。胃氣和。血液復。乃邪熱消散也。脉微而解者。正盛邪衰。鬱氣暴發。必大汗出也。張思聽曰。夫六經篇中。論邪病。論治法。故皆言發汗而解。辨脉篇。論正氣。論脉體。故皆言自汗而解。

問曰。脉病欲知愈未愈者。何以別之。答曰。寸口關上尺中三處。大小浮沉遲數同等。雖有寒熱不解者。

輯要云。吳山甫。脈語云。小脈。形減於常脈一倍。曰小。脈經首論脈形二十四種。有細而無小。今之小。其卽古之細乎。此脈陰陽爲和平。雖劇當愈。

此承前章病人身涼和者。爲欲解而言寸關尺三處大小浮沉遲數同等。此脈陰陽和平。乃正能勝邪。故雖有寒熱不解而病劇。當愈也。

師曰。立夏得洪一作浮大脈。是其本位。立夏。四月節。本位。謂時脈正當。脈經云。洪脈。極大。吳山甫曰。洪猶洪水之洪。脈來大而鼓也。若不鼓。則脈形雖闊大。不足以言洪。如江河之大。若無波濤洶湧。不得謂之洪。脈學輯要云。滑氏以來。以鈎洪爲一脈。予謂洪以廣而言。鈎以來去而言。雖俱屬于夏脈。不能無異。其人病身體苦疼重者。須發其汗。若明日身不疼不重者。不須發汗。若汗濈濈自出者。明日便解矣。字彙云，苦，困悴也，須，意所欲也，待也，發，揚也。何以言之。立夏脈洪大是其時脈，故使然也。四時倣此。十五難曰，經言春脈弦，夏脈鉤，秋脈毛，冬脈石，是王脈耶，將病脈也，然弦鉤毛石者，四時之脈也。

此章更明得四時王脈，而病解也。言立夏陽氣外盛，而氣血浮溢，故得洪大脈，是其本位，其人病身體苦疼重者，邪氣在於外，乃須發其汗，若明日身不疼不重者，邪既除，乃不須發汗，若汗濈濈自出者，邪與汗皆出，而明日便解矣。何以言之。立夏脈洪大，是其時脈，而正氣內固，故使然也。四時得其王脈者，其病易解之義，皆倣此。

問曰。凡病欲知何時得。何時愈。答曰。假令夜半得病者。明日日中愈。日中得病者。夜半愈。何以言之。日中得病。夜半愈者。以陽得陰則解也。夜半得病。明日日中愈者。以陰得陽則解也。

此章申明陰得陽。陽得陰。而病解也。言日中得病者。陽盛陰退而不和。故得半夜陰之極。則陰陽協和。邪解而愈。夜半得病者。陰盛陽退而不和。故得日中陽之極。則陰陽協和。邪解而愈。

寸口脈浮爲在表。沉爲在裏。字彙云。表外也。裏內也。數爲在府。遲爲在藏。假令脈遲。此爲在藏也。

此章以寸口諸脈明病之所在也言寸口脈浮邪氣淺而氣血浮越故爲在表沉邪氣深而氣血沉潛故爲在裏數爲熱府爲陽熱生於陽故爲在府遲爲寒藏爲陰寒生於陰故爲在藏重言脈遲在藏者誡病在藏此比他則最深危急也

趺陽脈浮而濇少陰脈如經者少陰脈足少陰腎經脈氣之所行內踝後太谿穴決死生論所謂下部地足少陰是下部三候之一也此脈主候腎經常也如經謂無變也其病在脾法當下利何以知之若脈浮大者氣實血虛也今趺陽脈浮而濇故知脾氣不足胃氣虛也按脈浮大上略趺陽二字此先言浮大之脈義而明浮濇之義也以少陰脈弦而浮一作沉

纔見此爲調脈故稱如經也（調脈謂脈氣和合也此釋上少陰脈如經之義而起下反滑數之變脈）若反滑而數者故知當屎膿也（玉函作溺按反滑上略少陰脈三字膿血肉腐敗者之名屎膿謂膿隨屎出也）

此章乃診趺陽少陰二脈以辨其病也蓋趺陽以候脾胃少陰以候腎趺陽脈浮而濇少陰脈如經故其病爲在脾法當下利若脈浮大者氣實血虛氣浮越于外也今趺陽脈浮而濇故知脾氣不足胃氣虛飲食不化輸當下利也以少陰脈弦而浮纔見雖脾病及腎腎氣盛結滯微也乃此爲調脈故稱如經也若反滑而數者腎氣內鬱甚而生熱

血液爲熱腐敗爲膿。隨下利而泄。故知當屎膿也。

寸口脈浮而緊。浮則爲風。緊則爲寒。風則傷衞。寒則傷榮。榮衞俱病。骨節煩疼。當發其汗也。骨在肉中堅硬、使形軀堅固者之稱。節謂骨之有節、如竹節也。

此承前寸口脈浮章。而申明寸口脈浮而緊之脈義及證治也。浮者陽熱浮越。故浮則爲風。緊者陰寒緊束血氣。故緊則爲寒。衞爲陽。榮爲陰。各從其類而傷。今脈浮而緊者。風熱寒邪相搏。故榮衞俱病。骨節煩疼。當發其汗也。

趺陽脈遲而緩。胃氣如經也。此爲下言變脈證、先言如經也。趺陽脈浮而數。浮則傷胃。數則動脾。此非本病。醫特下之所爲也。榮衛内陷。其數先微。脈反但浮。其人必大便鞕。氣噫而除。噫飽食氣滿而有聲也。非本病謂非本當病之病也。乍曰醫者滾咎其誤也。氣噫而除言鬱氣噫出而去。此承上節而言醫特誤下所致之病脈證。何以言之。本以數脈動脾。其數先微。故知脾氣不治。大便鞕。氣噫而除。今脈反浮。其數改微。邪氣獨留。心中則飢。邪熱不殺穀。潮熱發渴。數脈當遲緩。脈因前後度數如法。病者則飢。不殺穀猶云不消穀。潮熱謂如潮水充滿有時。熱發延漫一身也。渴好飲之稱。飢欲食也。因前後度數如法。言脈反浮。其數改微也。此明所以上脈證改易及飢潮熱發渴也。數脈不時。則生惡瘡也。惡瘡謂毒腫瘡瘍難治也。此承上脈數而申明數脈不時則生惡瘡。

傷寒論繹解卷一　三十二　包荒室藏版

此承前趺陽脈浮濇脾氣不足胃氣虛當下利而更論浮而數其數改微大便鞕及諸變證之所因也言趺陽脈遲而緩者胃氣和緩而無變也趺陽脈浮而數浮爲虛故浮則傷胃數爲熱故數則動脾然以初脈遲緩見之則此非本病醫特下之傷胃胃液亡而氣不和鬱而生熱熱氣浮越動脾之所爲也以誤下故榮衛氣內陷本以數脈動脾其數先微數改微則浮亦當變而反但浮者胃熱仍浮越而脾氣不治胃氣益不和而彌鬱故其人必大便鞕氣噫而除數脈當遲緩而脈因前後度數

如法。邪氣獨留心中。胃氣熱則飢。而邪熱不殺穀。遂至潮熱發渴。若數脈不時見。則邪熱妄行。其所過血液凝結。而生惡瘡也。

師曰。病人脈微而濇者。此為醫所病也。大發其汗。又數大下之。其人亡血。靈樞榮衛生會篇云。榮衛者精氣也。血者神氣也。故血之與氣異名同類焉。故奪血者無汗。奪汗者無血。此因汗下過多。氣液大亡。氣液亡則血亦隨亡。故曰亡血。是示氣液亡之甚也。病當惡寒。後乃發熱。無休止時。夏月盛熱。欲著複衣。冬月盛寒。欲裸其身。所以然者。陽微則惡寒。陰弱則發熱。此醫發其汗。使陽氣微。又大下之。令陰氣弱。五月之時。陽氣在表。胃中虛冷。以陽氣內微。不能勝冷故欲著複衣十一月之時陽氣在裏胃中煩熱以陰氣内弱不能勝熱故欲裸其身此特曰五月十一月者舉夏冬之中也所以然者以下明上證之所因也又陰脈遲濇故知亡血也

此章申明爲醫所病陰陽不和之脈證也言病人脈微而濇者陰陽微弱乃脈氣澀滯也此大發其汗使陽氣微又大下之令陰氣弱其人亡血陽微則陰氣凝結而惡寒陰弱則陽氣鬱而發熱寒則陽鬱熱則寒止熱去而復寒互相進退故病當惡寒後乃發熱無休止時夏月盛熱欲著複衣冬月盛寒欲裸其身蓋五月之時天氣盛地氣高人氣

升發在表而胃中虛冷以陽氣內微不能勝冷陰寒自王故其寒也夏月盛熱而欲著複衣十一月之時天氣衰地氣合人氣斂降在裏而胃中煩熱以陰氣內弱不能勝熱陽熱自王故其熱也冬月盛寒而欲裸其身又血亡于內者難察知然陰脈殊遲濇爲榮氣不足血少故知亡血也

脈浮而大心下反鞕有熱屬藏者攻之不令發汗屬府者不令溲數溲數則大便鞕汗多則熱愈汗少則便難脈遲尚未可攻字彙云攻專治也溲便溺也愈益也濟按屬藏謂病在陰而深也屬府謂病在陽而淺也便難大便難通之謂

此爲前章誤治諭病屬藏屬府之治例也。言脈浮而大。爲病在表。乃心下當不鞕而反鞕有熱屬藏者。邪氣結心下。滾入陰而熱實脈氣爲熱泛濫也。因當攻下之。雖脈浮大。不令發汗。發汗則徒氣液亡。而邪氣益結伏矣。屬府者。雖心下鞕。邪氣淺在陽。而熱氣升發也。乃以心下鞕爲水結。不令溲數。溲數則津液越出。胃中燥而致大便鞕熱氣升發。汗出多則津涸氣鬱而熱愈。汗少則津燥不甚。乃大便難通耳。雖心下鞕有熱。可攻。脈遲者。邪熱未盛實。故尚未可攻也。

脈浮而洪，身汗如油，喘而不休，水漿不下，形體不仁，乍靜乍亂，此爲命絕也。

身汗如油，出汗粘而不流也。或謂之脫汗，又名絕汗。喘，氣液爲邪壅，不得宣通，逆湊於胸中，而阻礙呼吸，喉下作聲之彌。漿，米汁。不下，謂不肯下咽也。身不覺痛癢曰不仁。素問風論云：衛氣有所凝而不行，故其肉有不仁。乍靜乍亂，正虛不堪邪躁擾，精神將絕之貌，猶燈火之將熄，乍明乍暗。命絕，身命斷絕。

又未知何藏先受其災，若汗出髮潤，喘不休者，此爲肺先絕也。陽反獨留，形體如煙熏，直視搖頭者，此爲心絕也。

如煙熏，謂色黑如以火熏。直視，目張而不眴也。

脣吻反青，四肢漐習者，此爲肝絕也。

四肢，自指至肘，足至膝是也。成無己曰：漐習者，爲振動，若搐搦，手足時時引縮也。

環口黧黑，柔汗發黃者，此爲脾絕也。

黧，黑黃色。柔汗，謂肌肉氣不充，柔耎而汗出也。發黃，謂身目見黃色也。

溲便

遺失狂言目反直視者此爲腎絕也字彙狂字注云心病韓子曰心不能審得失之地謂之狂濟按目反謂目反上也又未知何藏陰陽前絕若陽氣前絕陰氣後竭者其人死身色必青陰氣前絕陽氣後竭者其人死身色必赤腋下溫心下熱也玉函必青下有肉必冷三字是

此承前章脈浮大汗多而辨脈浮洪身汗如油之死證及五藏先絕陰陽前絕之諸證也脈浮而洪熱氣泛濫于外也身汗如油精氣脫而腠理開脂液越出也喘而不休水漿不下毒氣逆迫喉咽呼吸不利也形體不仁衛氣凝而不行也乍靜乍亂

神氣將絕也故此爲命絕也又未知何藏先受其災蓋肺主氣而應皮毛若汗出髮潤喘不休者肺藏先受災肺氣絕而氣道不利毒氣迫喉咽皮腠失衛護而疎開津液脫于上也此爲肺先絕也心主血而應脈陽反獨留形體如煙熏直視搖頭者心藏先受災心氣絕而血脈不通陽氣反獨留鬱而生熱熱熏灼血液血脈失榮華而枯燥毒氣上衝頭腦也赤心之色赤如雞冠者生如衃血者死煙熏即衃血色形體如煙熏心一身之主故其敗絕之色見形體也此爲心絕也肝主藏血而應筋

脣吻反青四肢漐習者。肝藏先受災。肝氣絶。而血氣瘀鬱。筋失滋養。而引急也。脣吻脾之部。青肝之色。肝色反見於脾部。肝邪乘所勝。患及脾也。此爲肝絶也。脾主行津液。而應肉。環口黧黑。柔汗發黃者。脾藏先受災。脾氣絶。而不能行津液。氣液瘀滯而釀溼熱。溼熱熏蒸。肌肉失養。而不充。津液泄于外也。黃脾之色。黃如蟹腹者生。如枳實者死。黧黑即枳實色。環口黧黑。脾絶之色見其部也。此爲脾絶也。腎主藏精。而應骨。溲便遺失。狂言。目反直視者。腎藏先受災。腎氣絶。而精氣不施。骨髓衰少。下元虛而膀胱不約，腎邪乘所勝，逆迫心也。此爲腎絕也。又未知何藏陰陽前絕，若五藏凡陽氣前絕，陰氣後竭者，是陽虛裏寒，微陽爲寒襲消滅，前絕陰氣後竭，故其人死，身色必青，肉必冷。陰氣前絕，陽氣後竭者，是陰虛内熱，微陰爲熱灼乾涸，前絕陽氣後竭，故其人死，身色必赤，腋下溫，心下熱也。

寸口脈浮大，而醫反下之，此爲大逆。此不可下而下之，故曰大逆。浮則無血，大則爲寒，寒氣相搏，則爲腸鳴。水氣與腸氣相搏，運轉作聲也，即與雷鳴同。醫乃不知，而反飲冷水，令汗大出，水得寒氣，冷必相搏，其人即䬠。音噎，下同。靈樞刺節眞邪篇云：大氣逆上，喘喝坐伏。

病惡埃煙。餲不得息。

此承前脈浮大章。而先建寸口脈浮大無裏證者。不可下之戒。後更言醫反飲冷水。令汗大出之逆變也。夫浮則氣浮於外。而血液燥。故爲無血。大則氣大浮。而內虛生寒。故爲寒。寒氣相搏則裏不和。而爲腸鳴。醫乃不知其病機。爲但邪熱盛於外津燥而反欲飲冷水。潤燥。徹外邪。令汗大出。大亡其陽。水得寒氣。冷必相搏。胃氣益虛。虛氣逆塞于喉咽。其人即餲也。

趺陽脈浮。浮則爲虛。浮虛相搏。故令氣餲。言胃氣虛竭也。脈滑則爲噦。此爲醫咎。責虛取實。守空迫血。噦。晚世所謂吃逆者。是也。又爾雅呃逆。或爲欬逆。或爲乾嘔者。非也。仲景全書。唐不巖云。爲餲爲噦。皆誤。下傷陰之咎。陰傷則陽失所守。故曰守空。脈浮鼻中燥者。必衄也。說文云。衄。鼻出血也。

此亦以趺陽脈診明令氣餲及爲噦爲衄之所由也。浮則氣浮越而胃中虛竭。故爲虛浮。虛相搏。虛氣逆而令餲。脈滑則胃虛氣聚於上而不降。故爲噦。此爲醫咎。責精虛而取邪實。乃陰陽離散。相守空而邪氣迫經血妄行。未知從何道而出。若脈浮鼻中燥者。血隨逆氣而滲鼻竅。必衄也。

諸脈浮數。當發熱而洒淅惡寒。若有痛處。飲食如常。

者畜積有膿也。飲食如常、示內無病、胃氣和也。

此章更論邪熱傷經、血畜積有膿之脈證也。解詳見金匱要略方論繹解。

脈浮而遲、面熱赤而戰惕者、六七日當汗出而解。反發熱者、差遲。遲爲無陽、不能作汗、其身必癢也。戰惕、戰慄惕動也。無陽、無衛陽之謂、非全無也。癢、身欲得手爬之爾。

此對前章脈浮數當發熱而反洒淅惡寒而論之。脈浮而遲、面熱赤而戰惕者、病在於外、而兼內虛。邪氣因壅遏、熱氣不能發而上衝熏其面也。乃至六七日、鬱熱極而暴發、則邪退、當汗出而解。若不戰惕反發熱者邪壅不甚而鬱熱直發也然此本內虛衞氣不足故脈差遲遲爲無陽乃雖發熱不能作汗邪氣留皮膚故其身必癢也論曰面色反有熱色者未欲解也以其不能得小汗出身必癢之類也

寸口脈陰陽俱緊者法當清邪中於上焦濁邪中於下焦清邪中上名曰潔也濁邪中下名曰渾也王宇泰曰古人所云寸口多兼關尺而言如難經及後章所云水下二刻一周循環當復寸口虛實見焉皆謂手太陰之經渠穴也知此則不必曲爲疏解矣濟按清邪即霧露之邪濁邪即水溼之邪金匱要略所謂溼傷於下霧傷於上是也陰中於邪必內慄也表氣微虛裏氣不守

故使邪中於陰也。陽中於邪，必發熱頭痛，項強頸攣，腰痛脛酸，所爲陽中霧露之氣，故曰清邪中上，濁邪中下。陰氣爲慄，足膝逆冷，便溺妄出，表氣微虛，裏氣微急，三焦相溷，內外不通，上焦怫音佛，下同。鬱，藏氣相熏，口爛食齗也。內慄，內氣竦縮之謂，卽下文陰氣爲慄，意同。裏氣不守，前章所云守空之意。酸，寒酸也。脛酸，謂脛冷痺也。足膝逆冷，言氣逆甚，而足膝冷，卽厥冷也。便溺妄出，小便不禁也。此詳上文清邪中於上焦，濁邪中於下焦之證。因上陰陽者，指表裏，又上焦爲陽，下焦爲陰。中焦不治，胃氣上衝，脾氣不轉，胃中爲濁，榮衛不通，血凝不流。濁，水穀之瘀濁，金匱云穀氣不消，胃中苦濁，是也。此就上節上下中邪，而三焦相溷，而申明中焦不治之病由。若衛氣前通者，小便赤黃，與熱相搏，因熱作使，遊於經絡出入藏府熱氣所過則爲癰膿若陰氣前通者陽氣厥微陰無所使客氣內入嚏而出之聲嗢（乙骨切）咽塞寒厥相追爲熱所擁血凝自下狀如豚肝陰陽俱厥脾氣孤弱五液注下下焦不盍（一作闔按清便成本作闔）下重令便數難齊築湫痛命將難全（癰壅也毒腫成膿者之名是上）

文云血凝不流者爲熱腐敗之所致陰氣即營氣不曰營氣而曰陰氣者對下陽氣也厥陰陽氣不相順接手足逆冷之稱蓋陽者主外而行陰今陽氣厥微故陰無所使也客氣陰寒客氣又外感邪氣謂客氣言內常不可有而有之氣也嚏鼻塞噴也聲嗢聲上於喉下難出也寒厥相追言陰寒陽厥相追從也血凝自下是亦血凝不流者爲熱所擁自下也豚小豕如豚肝形容凝血也五液謂水穀五味之精液各走其道養五藏者也清便謂大便無熱臭如平常下重謂大便欲通難通窘迫肛門便數難數登厠而便難

逼之謂。齊成本作臍。卽肚臍。齊築湫痛。言水寒與腎氣相搏。臍中築築跳動痛。命將難全。命難保之謂。此接上榮衛不通。而言衛氣前通。陰氣前通。及陰陽俱厥者之證候也。

此章審寸口脈陰陽俱緊清邪中於上焦濁邪中於下焦之名狀證候及中焦不治者也脈寸爲陽候上焦尺爲陰候下焦故陰陽俱緊者法當清邪中於上焦濁邪中於下焦清邪者霧露輕清屬陽因中上陽部而不濁故名曰潔也濁邪者水溼重濁屬陰因中下陰部而不清故名曰渾也陰中於邪必内氣竦縮爲慄也是以表氣微虚裏氣不守故使邪中於陰也陽中於邪必表氣鬱閉乃致發

熱頭痛項强頸攣腰痛脛酸是所爲陽中霧露之氣故曰清邪中上濁邪中下陰氣爲慄乃致足膝逆冷便溺妄出表氣微虛裏氣微急上下受邪則患及中焦遂三焦相溷內外不通熱結上焦而怫鬱藏氣相熏口傷爛食齗也中焦受邪不治胃氣壅而上衝脾助胃氣磨消水穀胃氣上衝者脾氣亦不轉乃水穀瘀滯而胃中爲濁榮者水穀之精氣也衛者水穀之悍氣也穀氣不宜布則榮衛不通血凝不流若衛氣前通者陽與陰不諧和鬱而生熱熱熏陰液故小便赤黃衛氣與熱相搏因熱

作使遊於經絡。出入藏府。熱氣所過。則凝血腐敗。隨陽發之氣。而爲癰膿。若陰氣前通者。陽氣厥微。陰無所使。陰與陽不諧和。客氣内入。上逆而鼻竅喉咽。氣不利。故噎而出之。聲嗢咽塞。寒厥相追。寒阻氣而生熱。爲熱所擁。凝血隨陰陷之氣而自下。狀如豚肝。陰陽俱厥。不相接。則脾氣孤弱。不能行化氣血。滋養五藏。因五藏俱虛。而五液注下。下焦氣虛脫。而不盡。故清便下重。令便數難。齊爲生氣之原。水寒湊下。與腎氣相搏。齊築湫痛。生氣欲絕之兆。故命將難全。

脈陰陽倶緊者。口中氣出。脣口乾燥。踡臥足冷。鼻中涕出。舌上胎滑。勿妄治也。口中氣出、謂口中噴出鬱氣、踡臥、身局臥、是因寒甚也、胎苔同音、胎、苔也、或作苔、熱蒸津、則脂液浮、凝舌上生物、其形如苔、故曰苔也、是猶地溼潦水、陽火所蒸而生苔矣、其色或白、或黃、或黑、因邪熱之淺深微甚、或燥、或潤、因津液爲熱燥之甚不甚、又平素津液潤澤、而熱甚者、生苔厚、津液乾燥者、雖熱甚、其苔薄、或有不生苔、但舌上枯燥者、是猶因地溼多少、苔有厚薄矣、胎滑、謂白苔滑潤也、到七日以來。其人微發熱。手足溫者。此爲欲解。或到八日以上。反大發熱者。此爲難治。設使惡寒者。必欲嘔也。腹內痛者。必欲利也。手足、自指至腕、足至踝、是也、以來、猶言以前、以上、猶言以後、設、設言之辭、難治、難成治功之謂、嘔者、欲吐有聲、而物難出之稱、

此接前章。而申明脈陰陽倶緊。寒邪甚者之諸變

證也。口中氣出，脣口乾燥，踡臥足冷，鼻中涕出，舌上胎滑，是內氣爲寒邪被壅遏，不得達於四末，鬱生熱。毒氣上衝之所致。此寒熱證治難分明，因勿妄施治，當須其動作治之也。若到七日以來，其人微發熱，手足溫者，此正復而邪退，故爲欲解也。或到八日以上，反大發熱者，邪壅日久而內鬱極熱，氣暴發，正脫而不任邪，故爲難治。設使惡寒者，寒邪益進，逆於內，必欲嘔也。腹內痛者，寒邪內陷而氣走於下，必欲下利也。

脈陰陽俱緊，至於吐利，其脈獨不解，緊去入安，此爲欲解。入玉函作人是。若脈遲至六七日。不欲食。此爲晩發。水停故也。爲未解。食自可者。爲欲解。吐者物自口出之稱。利者大便下利。食自可。言食如常也。成無己曰。晩發。後來之疾也。

此承前章嘔利。而論脈陰陽俱緊。至於吐利。欲解者。及未解者也。言因吐利。寒邪衰。則其脈當解緩。而獨不解者。邪氣仍盛也。緊去者。邪衰正氣復。而人安。此爲欲解也。若脈變遲。至六七日。不欲食者。由吐利後。雖邪衰。脾胃氣尚弱。而水穀化輸不速。水停畜。故此爲晩發未解。食自可者。脾胃氣復。而已和。故爲欲解。

病六七日。手足三部脈皆至。大煩而口噤不能言。其人躁擾者。必欲解也。若脈和。其人大煩。目重臉內際黃者。此欲解也。手足三部脈。言手足上中下三部脈。決死生論所謂三部九候之脈也。口噤。毒氣上迫喉咽。而牙關緊閉也。躁擾。煩悶躁急甚也。脈和。謂三部脈氣調和也。脈經云。三部脈調而和者生。卽是。臉。恐是瞼字之譌。臉。面臉。一曰頰也。瞼。目上下瞼也。今見曰內際。則爲目瞼明矣。若爲臉。則義竟不解。臉內際黃。言目中旁瞼見黃色也。脈經云。病人兩目皆有黃色起者。其病方愈。是也。

此亦言病六七日。而欲解之脈證也。大煩而口噤不能言。躁擾者。寒邪淩鬱熱將表發而難發。毒氣上衝心胸之所致。而手足三部脈皆至者。正氣未衰。尚能勝邪。因知遂發熱。邪退。必欲解也。若脈和。

其人大煩目重瞼內際黃者熱氣升浮正益勝而和也故此亦欲解也

脈浮而數浮爲風數爲虛風爲熱虛爲寒風虛相搏則洒淅惡寒也（玉函惡寒下有而發熱三字是）

此章言惡寒而發熱者之脈義也蓋人之傷於寒也則爲病熱脈浮熱氣浮越故爲風邪之所湊其氣必虛脈數陰虛血脈爲邪所迫促故爲虛風爲熱虛爲寒風虛相搏則陽氣爲邪壅不暢內鬱極而發於外故洒淅惡寒而發熱也

脈浮而滑浮爲陽滑爲實陽實相搏其脈數疾衛氣

失度浮滑之脈數疾發熱汗出者此爲不治。脈學輯要引滑伯仁診家樞要云疾盛也快於數而疾呼吸之間脈七至熱極之脈也榮衛生會篇云榮周不休五十而復大會陰陽相貫如環無端衛氣行于陰二十五度行于陽二十五度分爲晝夜成無已曰脈一息六至曰數平人脈一息四至衛氣行六寸今一息六至則衛氣行九寸計過平人之半是脈數疾知衛氣失其常度也濟按病如斯當死而曰不治者是係治工而示病患不除也

此章言病不治之脈證也浮者熱氣浮越於外故爲陽滑者邪氣實於內故爲實陽實相搏其脈數疾衛氣爲邪熱失其度血脈窘急也浮滑之脈數疾發熱汗出者熱氣亢盛而津液脫於外也此精虛邪實故爲不治。

傷寒。咳逆上氣。其脈散者死。謂其形損故也。咳逆。謂咳甚也。上氣。因咳虛氣上騰也。脈經云。散脈。大而散。散者氣實血虛。有表無裏。

此章言傷寒咳逆上氣。其脈散者。寒邪潑犯心肺。而生熱。形氣損耗。虛陽浮散也。故爲死。陰陽應象大論云。寒傷形。熱傷氣。乃申明所以致死。謂其形體損故也。

平脈法第二 脈學輯要云。按平脈不一。所謂不緩不急。不澀不滑。不長不短。不低不昂。不縱不橫。此形象之平也。一息五至。息數之平也。弦洪毛石。四時之平也。而人之稟賦不同。脈亦不一。其形。此乃稟受之平也。

問曰。脈有三部。陰陽相乘。榮衞血氣。在人體躬。呼吸出入上下，於中因息遊布，津液流通，隨時動作，效象形容。陽得陰而行，陰能攝陽。脈寸以候陽，尺以候陰。陰陽相乘，言陰陽得相乘而其形象見也。隨時動作，謂脈隨四時其形變作也。效象形容，即弦浮沉洪之形象。春弦秋浮，冬沉夏洪。素問玉機眞藏論云：春脈者肝也，東方木也，萬物之所以始生也，故其氣來耎弱輕虛而滑，端直以長，故曰弦，反此者病。夏脈者心也，南方火也，萬物之所以盛長也，故其氣來盛去衰，故曰鉤，反此者病。秋脈者肺也，西方金也，萬物之所以收成也，故其氣來輕虛以浮，來急去散，故曰浮，反此者病。冬脈者腎也，北方水也，萬物之所以合藏也，故其氣來沉以搏，故曰營，反此者病。脾脈者土也，孤藏以貫四旁者也。察色觀脈，大小不同，一時之間，變無經常，尺寸參差，或短或長，上下乖錯，或存或亡，病輒改易，進退低昂。色謂五藏色見於面部也。參差，不齊貌。高陽生脈訣云：短者陰也，指下尋之不及本位曰短。長者陽也，指下尋之。三關如持竿之狀。擧之有餘曰長。心迷意惑。動失紀綱。願爲具陳。令得分明。脈變易無經常。乃心迷意惑。動失紀綱。是言所以起問也。師曰。子之所問道之根源。脈有三部。尺寸及關。十八難曰。脈有三部九候。各何主之。然。三部者。寸關尺也。九候者。浮中沉也。上部法天。主胸以上至頭之有疾也。中部法人。主膈以下至齊之有疾也。下部法地。主齊以下至足之有疾也。榮衛流行。不失衡銓。腎沉心洪肺浮肝弦。此自經常。不失銖分。此應上隨時動作。而言榮衛流行。有經常之由也。出入升降。漏刻周旋。水下百刻。一周循環。當復寸口。虛實見焉。字彙云。漏。以銅壺受水刻節。晝夜百刻。亦取漏下之義。刻。漏也。鍥也。鍥漏箭。以候日晷。故因謂晷度曰刻。每日晝夜共百刻。周旋。是直去了卻回來。其回轉處。欲其圓如規也。循環。謂旋繞往來。環圓成無端者。復還也。往來行故道也。濟按。寸口兼關尺言也。此應上三部而言所以寸口

者。爲脈之要會也。一難曰。十二經皆有動脈。獨取寸
口。以決五藏六府死生吉凶之法。何謂也。然。寸口者。
脈之大會。手太陰之脈動也。人一呼脈行三寸。一吸
脈行三寸。呼吸定息。脈行六寸。人一日一夜。凡一萬
三千五百息。脈行五十度。周於身。漏水下百刻。榮衞
行陽二十五度。行陰亦二十五度。爲一周也。故五十
度。復會於手太陰。寸口者。五藏六府
之所終始。故法取於寸口也。卽是。

變化相乘。陰陽相干。風則浮虛。寒則牢堅。沈潛水滀。支飲急弦。動則爲痛。數則熱煩。設有不應。知變所緣。三部不同。病各異端。大過可怪。不及亦然。邪不空見。終必有奸。

變化相乘。謂五行勝復之變化相乘也。陰陽相干。言陰脈不足。陽往從之。陽脈不足。陰往乘之也。飲者。謂飲物停畜也。支飲。水飲逆而支撐於心下之名。此對上經常而言變化之形狀。孫思邈千金翼方云。按之實強。其脈有似沈伏。名曰牢。牢。陽也。

審察表裏。三焦別焉。知其所舍。消息診

看料度府藏獨見若神爲子條記傳與賢人此言察知變化之診法也汪石山曰消息謂詳細審察也

此章乃平脉之總綱脉有三部陰陽相乘榮衛血氣在人體躬呼吸出入上下於中因息遊布津液流通卽次章所謂呼吸者脉之頭也之意隨時動作效象形容春弦秋浮冬沉夏洪此四時之王脉卽自經常者也察色觀脉大小不同一時之閒變無經常尺寸參差或短或長上下乖錯或存或亡病輒改易進退低昂言爲邪氣脉狀變而無經常病輒改易也脉有三部尺寸及關此明三部之名

也榮衛流行不失衡銓言榮衛行陽二十五度行陰二十五度而不失其度量也腎沉心洪肺浮肝弦此自經常不失銖分腎北方水王於冬而脈沉心南方火王於夏而脈洪肺西方金王於秋而脈浮肝東方木王於春而脈弦此自經常不失輕重也此即春弦秋浮冬沉夏洪之義而係其藏言之者廣其義也出入升降漏刻周旋水下百刻一周循環當復寸口虛實見焉言榮衛血氣在人體躬呼吸出入上下於中因息遊布津液流通與漏刻等循環也蓋人身經脈合手足之六陽六陰與蹻

脈督脈任脈計長一十六丈二尺一呼脈行三寸一吸脈行三寸呼吸定息脈行六寸榮衛之始從中焦注於手太陰寸口漏水下二刻二百七十息脈行一十六丈二尺爲一周身復還注手太陰此一小周也漏水下百刻計一萬三千五百息脈行八百一十丈晝夜共行五十度周于身復會於手太陰終而復始如環無端當復寸口虛實見焉此榮衛行陽二十五度行陰二十五度一大周也變化相乘陰陽相干風則熱氣浮越而内無邪實故其脈浮虛寒則邪氣淺犯而實於裏故牢堅沉潛

脈氣爲水寒沉潛故爲水滀支飲水邪支心下結聚故急弦動則陰陽相搏故爲痛數則血脈爲熱迫促故熱煩設有脈與病不相應當知變之所緣三部不同隨部病各異端大過可怪不及亦然邪不空見終必有奸而成禍害審察表裏三焦別知其所舍之淺深上下消息診看料度府藏之虛實如斯其應獨見若神乃爲子條記此脈道之根源非其人勿授必傳與賢人按脈經以此章爲張仲景論脈然此文四字句有韻非古體殊爲可疑

師曰呼吸者脈之頭也初持脈來疾去遲此出疾入

遲名曰內虛外實也。初持脈來遲去疾。此出遲入疾。名曰內實外虛也。滑伯仁曰。察脈須識上下來去至止六字。不明此六字。則陰陽虛實不別也。上者爲陽。來者爲陽。至者爲陽。下者爲陰。去者爲陰。止者爲陰也。上者自尺部。上於寸口。陽生於陰也。下者自寸口。下於尺部。陰生於陽也。來者自骨肉之分。而出於皮膚之際。氣之升也。去者自皮膚之際。而還於骨肉之分。氣之降也。應曰至。息曰止也。

此章申明呼吸出入升降。經脈隨行。其來去遲疾。內外虛實之名狀也。呼者氣之出陽也。吸者氣之入陰也。脈因氣息行。故曰呼吸者脈之頭也。此言脈之來去。故曰初持脈。猶云診脈。初持脈來疾去遲。來者爲陽從呼而出。去者爲陰從吸而入。故曰此出疾入遲也。出以候外。入以候內。疾者氣有餘。有餘則熱實。遲者氣不足。不足則虛寒。來疾去遲者。外熱實而內虛寒。故名曰內虛外實也。來遲去疾者。外虛寒。而內熱實。故名曰內實外虛也。

問曰。上工望而知之。中工問而知之。下工脈而知之。願聞其說。六十一難曰。經言望而知之謂之神。聞而知之謂之聖。問而知之謂之工。切脈而知之謂之巧。何謂也。然望而知之者。望見其五色。以知其病。聞而知之者。聞其五音。以別其病。問而知之者。問其所欲五味。以知其病所起所在也。切脈而知之者。診其寸口。視其虛實。以知其病。病在何藏府也。

師曰。病家人請云。病人苦發熱身體疼。病人自臥。師到診其脈。沉而遲者。知其差也。何以知之。若表有病者脈當浮大。今脈反沉遲。故知愈也。假令病人云。腹内卒痛。病人自坐。師到脈之。浮而大者。知其差也。何以知之。若裏有病者。脈當沉而細。今脈浮大。故知愈也。差。雖病毒不全除。體氣稍復常之稱。脈經云。細脈。小大於微。常有直細耳。

按合以下三章。論望問診法也。此章先分其三等。望見色而知之。謂之神。神者微妙。故爲上工。問病狀而知之。謂之工。工者善其事。故爲中工。親切脈而知之。謂之巧。巧者拙之反。故爲下工也。病人苦發熱身體疼。當不能臥。而自臥。診其脈沉而遲者。知其差也。何以知之。若表有病者。脈當浮大。今脈反沉遲。是邪氣發散。而正氣收於內也。故知愈也。腹內卒痛。當不能坐。而自坐。脈之浮而大者。知其差也。何以知之。若裏有病者。脈當沉而細。今脈浮大。是邪氣解散。而正氣達於外也。故知愈也。

師曰。病家人來請云。病人發熱煩極。明日師到。病人向壁臥。此熱已去也。設令脈不和。處言已愈。設令向壁臥。聞師到。不驚起而盻視。若三言三止。脈之嚥唾者。此詐病也。設令脈自和。處言此病大重。當須服吐下藥。鍼灸數十百處乃愈。處言。謂以言當之。其人。唾。口液也。服。用也。

此章言病人發熱煩極者。當不能向陰靜臥。明日師到向壁臥此邪熱發散已去而身凉和也乃設令脈不和處言已愈設令向壁臥此似前狀而聞師到不驚起而盻視若三言三止脈之嚥唾者必不直而有所愧因知此詐病也設令脈自和處言此病大重當須服吐下藥鍼灸數十百處乃愈此以言懲使其畏也醫者意也此其是歟

師持脈病人欠者無病也脈之呻者病也言遲者風也搖頭言者裏痛也行遲者表强也坐而伏者短氣也坐而下一脚者腰痛也裏實護腹如懷卵物者心痛也說文云欠張口氣悟也字彙云意闌則欠呻吟詠之聲凡物無乳者卵生

此章言師持脈病人欠者是厭持脈而意闕也此無病故不欲診也脈之呻者身有所苦而難堪也言遲者風熱客於胸中而傷氣氣機不捷也搖頭言者欲言而難發聲也此裏氣不和而痛也行遲者筋脈引急而不利也此表氣不和而强也坐而伏者爲病毒氣息短促乃不能偃臥也坐而下一脚者腰者身之大關節也腰痛大關不利故坐而不能正下一脚以緩痛也裏實護腹如懷卵物者裏實心痛則不能伸仰兩手護腹以按其痛也

師曰伏氣之病以意候之今月之內欲有伏氣假令

舊有伏氣，當須脈之，若脈微弱者，當喉中痛似傷，非喉痹也。病人云實咽中痛，雖爾，今復欲下利。字彙云：三伏，初伏、中伏、末伏，六月火王，金畏於火，故庚日必伏。咽者，嚥水；喉者，候氣。濟按：喉痹者，喉中痹閉腫塞之病名。

此章論感伏氣之病證也。言伏氣之病，宜以意候之。今月之內，欲有伏氣，假令舊日有伏氣，當須脈之。若脈微弱者，此感火王剋金之伏氣，因其人心火盛而剋肺金，肺氣乃傷，氣液不行之所致，故當喉中痛似傷。此非喉痹也，實咽中痛。雖爾，肺與大腸合而爲表裏，乃肺氣衰則大腸氣隨弱，遂失傳道之機，水穀下流而不畱，故今復欲下利也。

問曰人恐怖者其脈何狀師曰脈形如循絲累累然其面白脫色也（脫色謂不光榮也）

人恐怖者心神忽畏縮乃血氣沉潛於內而微於外故脈形如循絲累累然其面白脫色也

問曰人不飲其脈何類師曰脈自濇脣口乾燥也

人不飲者血液涸竭氣澀滯而鬱於內故脈自濇脣口乾燥也

問曰人愧者其脈何類師曰脈浮而面色乍白乍赤

人愧者心神怯躁乃血氣錯行浮沉故脈浮而面色乍白乍赤也

問曰。經說。古醫經說。脈有三菽六菽重者。何謂也。師曰。脈人以指按之。如三菽之重者。肺氣也。如六菽之重者。心氣也。如九菽之重者。脾氣也。如十二菽之重者。肝氣也。按之至骨者。腎氣也。菽者。小豆也。方有執傷寒條辨云。菽。大豆也。輕重以下指之法言。故何氏曰。越人云。菽大抵是箇約摸的法。見得輕重有差等。非眞如菽之重也。

此章言持脈輕重法也。蓋肺最居上。主皮毛。故脈人以指按之。如三菽之重。與皮毛相得者。肺氣也。心在肺下。主血脈。故如六菽之重。與血脈相得者。心氣也。脾在心下。主肌肉。故如九菽之重。與肌肉相得者。脾氣也。肝在脾下。主筋。故如十二菽之重

與筋平者肝氣也腎在肝下主骨故按之至骨得者腎氣也腎不言菽以至骨爲度也

假令下利寸口關上尺中悉不見脈然尺中時一小見脈再舉頭（一云按投）者腎氣也若見損脈來至爲難治（腎謂所勝脾脾勝不應時　濟按一息二至是爲損脈）

此申明下利尺脈見者爲腎氣也言尺脈以候腎氣下利寸口關上尺中悉不見脈者脾胃虛寒而脈氣不通也然尺中時一小見因三部脈再舉頭者腎氣也今下利而腎氣尚在者是脾氣虛而腎氣乘之也若見損脈來至腎氣亦衰脾氣復勝之

互相剋賊故爲難治是脾勝不應時也

問曰脈有相乘有縱有橫有逆有順何謂也師曰水行乘火金行乘木名曰縱火行乘水木行乘金名曰橫水行乘金火行乘木名曰逆金行乘水木行乘火名曰順也

此章論縱橫逆順脈也脈有相乘言五行相乘之病脈也水者腎之所主腎王於冬而其脈沉火者心之所主心王於夏而其脈洪金者肺之所主肺王於秋而其脈浮木者肝之所主肝王於春而其脈弦水剋火金剋木水行乘火夏脈當洪而反沉

金行乘木。春脈當弦。而反浮。此縱任其氣。乘其所勝。故名曰縱。火行乘水。冬脈當沉。而反洪。木行乘金。秋脈當浮。而反弦。此其氣橫行。反乘所不勝。故名曰橫。金生水。木生火。水行乘金。秋脈反見沉。火行乘木。春脈反見洪。此子行乘母。其氣不順。故名曰逆。金行乘水。冬脈反見浮。木行乘火。夏脈反見弦。此母行乘子。其氣不逆。故名曰順。獨不言脾土。脾脈貫四旁而不專一時也。

問曰。脈有殘賊。何謂也。師曰。脈有弦緊浮滑沉濇。此六脈名曰殘賊。能爲諸脈作病也。

此章論脈有殘賊也。弦則爲減精虛邪結也。緊則爲寒。正邪搏擊也。浮則爲病在表。熱氣浮越也。滑則爲實。邪熱實裏也。沉則爲病在裏。邪氣沉潛也。濇則爲少血。血虛氣滯也。此六脈者。邪氣劇而害正氣。故名曰殘賊。能爲諸脈作病也。

問曰。脈有災怪。何謂也。師曰。假令人病脈得太陽。與形證相應。因爲作湯。比還送湯。如食頃。病人乃大吐。若下利。腹中痛。師曰。我前來不見此證。今乃變異。是名災怪。又問曰。何緣作此吐利。答曰。或有舊時服藥。今乃發作。故爲災怪耳。送湯。服下湯藥之謂。如食頃。一食間也。發作。謂病毒因服藥動、發吐利腹痛也。成無己曰、醫以脈證與藥相對、而反變異、爲其災可怪、故名災怪。

此章論脈有災怪也。張思聰曰。脈得太陽與形證相應者。如太陽之爲病。脈浮。頭項強痛。而惡寒。此脈與形證之相應也。大吐下利。腹中痛。前來原無此證。今卒然變異。是名災怪。或有舊時服藥。今乃發作者。言送湯如食頃。所投之藥未過于經。故必舊時服藥之故矣。

問曰。東方肝脈。其形何似。師曰。肝者木也。名厥陰。其脈微弦濡弱而長。是肝脈也。肝病自得濡弱者愈也。假令得純弦脈者死。何以知之。以其脈如弦直。此是肝藏傷。故知死也。純弦。謂但弦無胃氣。南方心脈。其形何似。師曰。心者火也。名少陰。其脈洪大而長。是心脈也。心病自得洪大者愈也。假令脈來微去大。故名反。病在裏也。脈來頭小本大。故名覆。病在表也。上微頭小者。則汗出。下微本大者。則爲關格不通。不得尿。頭無汗者可治。有汗者死。不得尿。謂小便祕閉也。頭者脈來之頭。即初也。本者脈之根本。即尾也。上者即寸口。下者即尺中。西方肺脈。其形何似。師曰。肺者金也。名太陰。其脈毛浮也。肺病自得此脈。若得緩遲者皆愈。若得數者則劇。何以知之。數者南方火。火剋西方金。法當癰腫。爲難治也。

此章更辨五藏平脈及病脈也。肝者東方木。王於春。其經足厥陰。故名厥陰。其脈微弦濡弱而長。是肝之平脈。乃春木條達之象也。諸脈皆以胃氣爲本。肝病自得濡弱者。是有胃氣而肝氣和。故愈也。假令得純弦脈者。如弦直是無胃氣。肝氣傷。乃眞藏之脈也。故死。心者南方火。王於夏。其經手少陰。故名少陰。其脈洪大而長。是心之平脈。乃夏火炎上之象也。心病自得洪大者。是有胃氣而心氣和。故愈也。假令火氣炎上。脈當來大去微。今來微去大。是病在裏。而阻心氣。乃反其性。故名反也。又脈當頭大本小。今頭小本大。是病在表。而心氣內鬱。乃首尾反覆。故名覆也。上以候上。下以候下。今脈上微而頭小者。則邪火在上焦。而心氣不充於外。故腠理疎汗出也。腎者北方水。王於冬。其經足少陰。其脈沉。藏精。主開闔。心腎水火氣。相交通升降。而陰陽諧和。今脈下微本大者。則邪火在下焦。而格。閉腎氣。使不開闔。故爲關格。不通。不得尿。下閉者。毒氣復逆上。迫心。而無汗者。精氣尚內固。而其逆不甚。故可治。有汗者。精氣絕。而脫於上。故死。肺者西方金。王於秋。其經手太陰。故名太陰。其脈毛浮是肺之平脈乃秋金清肅之象也肺病自得此脈者是有胃氣而肺氣和脾者中央土貫四旁王於季夏其經足太陰其脈緩主爲胃行津液爲肺之母若得緩遲者子母相生故皆愈數者爲熱南方火火剋西方金若得數者則鬼賊相刑故病劇肺金受火剋則其氣傷不行火熱之所過血爲之凝滯法當癰腫爲難治也又按肝病則言純弦脈心病則言脈去來上下肺病則言生剋者互明其義也不言腎脾二脈者心腎俱歸少陰肺脾俱歸太陰章中粗存其脈義故略之歟抑脫之歟

問曰。二月得毛浮脈。何以處言至秋當死。師曰。二月之時。脈當濡弱。反得毛浮者。故知至秋死。二月肝用事。肝屬木。脈應濡弱。反得毛浮脈者。是肺脈也。肺屬金。金來剋木。故知至秋死。他皆倣此。脈經云、春肝木王、其脈弦細而長、名曰平脈也、反得浮濇而短者、是肺之乘肝、金之剋木、爲賊邪、大逆、十死不治、夏心火王、其脈洪大而散、名曰平脈、反得沉濡而滑者、是腎之乘心、水之剋火、爲賊邪、大逆、十死不治、六月季夏建未、坤未之間、土之位、脾王之時、其脈大阿而緩、名曰平脈、反得弦細而長者、是肝之乘脾、木之剋土、爲賊邪、大逆、十死不治、秋金肺王、其脈浮濇而短、曰平脈、反得洪大而散者、是心之乘肺、火之剋金、爲賊邪、大逆、十死不治、冬腎水王、其脈沉濡而滑、曰平脈、反得大而緩者、是脾之乘腎、土之剋水、爲賊邪、大逆、十死不治、

此章論五藏相剋脈也。言二月仲春肝王而司用

事肝屬木脈應濡弱反得毛浮脈毛浮者是肺脈也肺屬金金來剋木恣奪肝王氣爲賊邪大逆而至秋死者春肝之王時乃雖受金剋尚未絕夏心火王而肺金畏至秋肺金王乃肝氣絕而死也他皆倣此相剋之義而推之則得之矣

師曰脈肥人責浮瘦人責沉肥人當沉今反浮瘦人當浮今反沉故責之言征求反浮反沉之所由也

成無己曰肥人肌膚厚其脈當沉瘦人肌膚薄其脈當浮今肥人脈反浮瘦人脈反沉必有邪氣相干使脈反常故當責之

師曰。寸脈下不至關。爲陽絕。尺脈上不至關。爲陰絕。此皆不治決死也。若計其餘命生死之期。期以月節尅之也。餘命。陰陽偏絕。而不卽死。苟延之命也。月節尅之。卽五藏相尅之月節。脈經云。肝死秋三月。心死冬三月。脾死春三月。肺死夏三月。腎死季夏六月。是也。

此章言脈尺寸不至關。陰陽偏絕之餘命。期月節相尅而死也。蓋陽生於尺。動於寸。陰生於寸。動於尺。寸脈下不至關者。爲陽絕。不能下應於尺也。尺脈上不至關者。爲陰絕。不能上應於寸也。陰陽偏絕者。精氣乃竭。故曰此皆不治決死也。寸爲陽。以候上焦。而主心肺。尺爲陰。以候下焦。而主腎。關爲陰陽之交關以候中焦而主肝脾陽絕者心肺之氣竭陰絕者腎之氣竭尺寸不至關則陰陽氣不交乃肝脾之氣亦竭故若計其餘命生死之期期以五藏月節剋之精絕而死也

師曰脈病人不病名曰行尸以無王氣卒眩仆不識人者知命則死人病脈不病名曰內虛以無穀神雖困無苦

脈病無五藏王氣也人不病無痛苦煩悶也行尸謂身雖步行內元神脫也無王氣言無肝木生心火心火生脾土脾土生肺金肺金生腎水腎水生肝木之氣即春脈不弦夏脈不洪季夏脈不緩秋脈不浮冬脈不沉也眩目前暗黑眩仆頭目運旋而身仆也命者前章所謂餘命也言當月節相剋卒眩仆不識人者知其餘命則絕而死無穀神言無水穀之精氣雖困無苦言雖身困倦元神無勞苦也

成無己曰。脈者。人之根本也。脈病人不病。爲根本內絕。形雖且强。卒然氣絕。則眩運僵仆而死。不曰行尸。而何。人病脈不病。則根本內固。形雖且羸。止內虛爾。穀神者。穀氣也。穀氣既足。自然安矣。內經云。形氣有餘。脈氣不足死。脈氣有餘。形氣不足生。

問曰。翕奄沉名曰滑。何謂也。師曰。沉爲純陰。翕爲正陽。陰陽和合。故令脈滑。關尺自平。陽明脈微沉。食飲自可。少陰脈微滑。滑者緊之浮名也。此爲陰實。其人必股內汗出。陰下溼也。陽明脈者。足陽明脈也。決死生論云。上部地。兩頰之動脈。是也。溼。原本作濕。字彙云。濕。水名。後省作漯。遂以濕爲乾溼之溼。佩觿集。有以水名之濕。爲下溼。其順非。

有如此者陂下者曰溼乃今從之竊改溼下同

此章言滑脈之所由也。翕奄沉。謂脈來聚合有餘而沉。正如轉珠之狀也。沉者陰氣盛。而脈氣潛於內也。故爲純陰。翕者。陽氣盛。而脈氣聚合於外也。故爲正陽。今陰陽俱盛。內外出入。能和合。故令脈滑。關以候中焦胃府。尺以候下焦腎藏。府爲陽。藏爲陰。陰陽氣不偏勝。乃關尺自平。陽明者胃脈。今陽明脈微沉者。陽部見陰脈。此胃中無邪實。但氣收斂於內。故飲食自可。少陰者腎脈。今少陰脈微滑。滑者。陰陽氣盛實。而出入潤利。緊者。寒熱搏擊。

故謂滑爲緊之浮名也陰部見陽脈此陽邪犯下焦腎氣内鬱而成熱實故爲陰實熱熏發陰液泄達於外股内汗出陰下溼也

問曰曾爲人所難緊脈從何而來師曰假令亡汗若吐以肺裏寒故令脈緊也假令咳者坐飲冷水故令脈緊也假令下利以胃虛冷故令脈緊也（所難被難問之謂）

此章明緊脈之諸因也言亡汗若吐肺裏寒咳者坐飲冷水下利胃虛冷是皆以陽氣暴虛而生寒寒氣束縮經氣鬱而生熱寒熱搏擊故令脈緊也

寸口衛氣盛名曰高（高者暴狂而肥）榮氣盛名曰章（章者暴澤而光）

傷寒論繹解卷一　五十一　包荒堂藏版

高章相搏名曰綱。綱者。身筋急。脈強直故也。衛氣弱名曰惵。惵者。心中氣動迫怯。榮氣弱名曰卑。卑者。心中常自羞愧。惵卑相搏名曰損。損者。五藏六府俱乏。氣虛惙故也。衛氣和名曰緩。緩者。四肢不能自收。榮氣和名曰遲。遲者。身體俱重。但欲眠也。緩遲相搏名曰沉。沉者。腰中直。腹內急痛。但欲臥不欲行。濟按。惙成注作惙。惙者。憂也。和者。非協和之和。即言弱之輕而柔和也。

此章明寸口脈衛榮氣盛弱和之名狀也。榮行脈中。衛行脈外。故脈輕手得之爲衛氣。重手得之爲榮氣。寸口衛氣盛者。陽氣亢而張於外。乃暴狂而肥。故名曰高。榮氣盛者。陰血滿而溢於外。乃暴澤而光。故名曰章。高章相搏。氣血張溢。則身筋急。脈強直。故名曰綱。衛氣弱者。陽氣微弱。而不充於內。乃心中氣動迫怯。故名曰㦤。榮氣弱者。陰血微弱。而不足於內。乃心中常自羞愧。故名曰卑。㦤卑相搏。氣血不充足。則五藏六府俱乏。氣虛惙。故名曰損。衛氣和者。陽氣之行自緩徐。乃四肢不能自收。故名曰緩。榮氣和者。陰血之行自遲滯。乃身體俱重。但欲眠。故名曰遲。緩遲相搏。氣血沉滯。則腰中直。腹內急痛。但欲臥。不欲行。故名曰沉。

寸口脈緩而遲。吳山甫曰。緩。狀如琴弦久失更張。縱而不整曰緩。與遲不同。遲以數言。緩以形言。其別相遠矣。緩則陽氣長。其色鮮。其顏光。其聲商。毛髮長遲則陰氣盛骨髓生血滿肌肉緊薄鮮鞕陰陽相抱榮衛俱行剛柔相得名曰强也字彙云顏容顏眉目之間也有氣斯有聲故云聲氣聲成文爲音故云聲音商金行之音五行中惟商最清髓骨中脂濟按陰陽相抱言陽行陰陰攝陽而相持也榮衛俱行言榮衛順行而不相戾也剛柔相得言陰陽剛柔之性狀相得也

此章明寸口脈緩而遲陰陽盛長之名狀也緩則衛氣和而長之象故爲陽氣長陽長者心肺之氣盛而精華見於外故其色鮮其顏光其聲商毛髮長遲則榮氣和而盛之象故爲陰氣盛陰盛者腎肝之氣盛而精血充於內故骨髓生血滿肌肉緊薄鮮鞕緩而遲者陰陽相抱榮衛俱行剛柔相得

而其人强壯，故名曰强也。

趺陽脈滑而緊，滑者胃氣實，緊者脾氣强，持實擊强，痛還自傷，以手把刃，坐作瘡也。

此承前章强壯之意，而申明趺陽脈滑而緊，脾胃强實，還自傷之過强也。滑者穀氣有餘，乃胃陽鬱而生熱，故爲胃氣實；緊者脾受胃液有餘，乃脾陰滯而生寒，故爲脾氣强。今滑而緊者，胃持實而擊脾强，寒熱相搏，痛還脾胃自傷，譬如以手把刃，坐作瘡，豈非自貽其害乎？此意在令人慎飲食矣。

寸口脈浮而大，浮爲虛，大爲實，在尺爲關，在寸爲格，關則不得小便。格則吐逆。謂吐劇也。

成無己曰。經云。浮爲虛。内經云。大則病進。浮則爲正氣虛。大則爲邪氣實。在尺則邪氣關閉下焦。裏氣不得下通。故不得小便。在寸則邪氣格拒上焦。使食不得入。故吐逆。

趺陽脈伏而濇。伏則吐逆。水穀不化。濇則食不得入。名曰關格。脈經云。伏脈。極重指按之。著骨乃得。

此章更以趺陽脈明關格證也。趺陽脈伏而濇。伏則邪氣犯於上焦。乃胃氣壅塞而不通。故吐逆。水穀不化。濇則脾氣澀滯。而不行津液。故食不得入。

名曰關格。又按前章云。關則不得小便。格則吐逆。

南方心脈章云。關格不通。不得尿。此云吐逆。水穀

不化。食不得入。名曰關格。何。蓋前章以尺寸論之。

故別病在上下。詳關格二證。南方心脈章論病在

下焦。故以不得尿爲證。此論病在上焦。故以吐逆

水穀不化爲證。而俱曰關格者。下閉而不得尿。則

毒氣上逆。而遂必吐逆。上病而吐逆。則氣不施下。

而遂必不得小便。是乃從病所在。而擧其今所專

見之證。互示其義也。

脈浮而大。浮爲風虛。大爲氣強。風氣相搏。必成隱㾮。

身體爲癢，癢者名泄風，久久爲痂癩。眉少髮稀，身有乾瘡而腥臭也。

説文云：痂，乾瘍也。徐曰：今謂瘡生肉所蛻乾爲痂。癩，惡疾也。濟按：隱疹者，小疹在於皮中，而身癢搔之，則見皮表，須臾復隱之病名。泄風者，風熱泄於外之名。痂癩者，癘風之類。

此承前寸口脈浮而大，而申明浮大之一病證也。故單曰脈浮而大。蓋浮者，風熱浮而表氣虛，故爲風虛；大者，病進而邪氣強，故爲氣強。風氣相搏畱於皮膚間，乃氣液鬱結，而必成隱疹，身體爲癢。癢者，風熱發泄，故名泄風。久久不除，則從皮膚入血脈，乃血液凝結，爲痂癩。前證邪氣在於內，而裏虛虛氣浮越，而脈見浮大。此邪氣在於外，而表虛風熱浮而脈浮大是所以脈形同而病證異也。

寸口脈弱而遲弱者衞氣微遲者榮中寒榮爲血血寒則發熱衞爲氣氣微者心內飢飢而虛滿不能食也。榮血行脈中故曰榮中寒

此章言寸口脈弱而遲衞榮虛寒之病狀也弱者陽氣微弱故爲衞氣微遲者爲寒故爲榮中寒陰血之滋榮內者謂之榮故榮爲血血寒則榮衞不諧和陽氣鬱而發熱陽氣之衞護外者謂之衞故衞爲氣氣微者精虛而心內飢飢而是氣不和乃虛氣內滿不能食也。

趺陽脈大而緊者當卽下利爲難治

此章言趺陽脈大而緊者寒邪劇犯脾胃而傷正氣當卽下利下利正虛邪盛故爲難治

寸口脈弱而緩弱者陽氣不足緩者胃氣有餘噫而呑酸食卒不下氣塡於膈上也一作下濟按呑酸謂口中酸如呑酢漿也膈胸膈心脾之間膈上隔膜上也

此章言寸口脈弱而緩弱者陽氣不足蓋食入於陰長氣於陽陽氣不足則不引穀氣緩者胃氣有餘胃氣者穀氣也陽氣不足而胃氣有餘則水穀腐敗故使噫而呑酸食卒不下陳氣塡於膈上也

趺陽脈緊而浮。浮爲氣。緊爲寒。浮爲腹滿。緊爲絞痛。浮緊相搏。腸鳴而轉。轉卽氣動。膈氣乃下。少陰脈不出。其陰腫大而虛也。絞痛。謂腹中絞急而痛也。

此就前章氣塡於膈上。言氣動膈氣下者也。趺陽脈緊而浮。浮者胃氣熱而升浮於膈。故爲氣。緊者寒邪犯於脾。而與胃氣搏擊。故爲寒。腹中有熱有寒。故浮爲腹滿。緊爲絞痛。浮緊相搏。寒熱相追下。故腸鳴而轉。轉卽鬱氣動移。膈氣乃下。少陰脈不出。脾邪犯於腎。腎氣虛而不應也。因水氣不得分利。而流陰。故其陰腫大而虛也。

寸口脈微而濇。微者衛氣不行。濇者榮氣不逮。榮衛不得相將。三焦無所仰。身體痹不仁。字彙云。將。帥也。承也。仰。恃也。榮氣不足則煩疼。口難言。衛氣虛者則惡寒數欠。此承上文榮衛不能相將。申明榮衛虛不足之病證。三焦不歸其部。上焦不歸者。噫而酢呑。中焦不歸者。不能消穀引食。下焦不歸者。則遺溲。酢呑同呑酸。遺溲。小便遺失也。此亦就上三焦無所仰。更論三焦不歸其部之病也。

此章言寸口脈微而濇。微者陽氣微。故衛氣不行。濇者陰血少。故榮氣不逮。乃榮衛氣不能相將。榮衛不能相將。則三焦氣無所仰從。故身體痹不仁。榮氣不足。則陰血枯涸。筋脈氣澀滯。而不和。故煩疼口難言衛氣虛者則內外氣不充而意闌故惡寒數欠三焦無所仰則其氣不歸其部上焦者在胃上口主內而不出上焦不歸者水穀陳氣滯於胸膈故噫而酢呑中焦者在胃中脘不上不下主腐熟水穀中焦不歸者水穀不腐熟故不能消穀引食下焦者當膀胱上口主分別清濁主出而不內下焦不歸者膀胱氣衰不約故遺溲

趺陽脈沉而數沉爲實數消穀緊者病難治

此章言趺陽脈沉而數沉者胃氣沉實於內故爲實數者胃氣熱故消穀緊者寒邪剋犯脾與胃熱

搏擊而脾氣傷故病難治

寸口脈微而濇微者衛氣衰濇者榮氣不足衛氣衰面色黃榮氣不足面色青榮爲根衛爲葉榮衛俱微則根葉枯槁而寒慄咳逆唾腥吐涎沫也咳逆謂咳甚也生肉曰腥涎口中液也沫水沫也

此章更論寸口脈微而濇榮衛俱微之一病證也言衛氣衰者陽氣不行故面色黃榮氣不足者陰血不行故面色青榮主內故爲根衛主外故爲葉榮衛俱微則內外俱虛氣血瘀滯而逆上故根葉枯槁而寒慄咳逆唾腥吐涎沫也

趺陽脈浮而芤。浮者衛氣虛。芤者榮氣傷。其身體瘦。肌肉甲錯。浮芤相搏。宗氣微衰。四屬斷絕。四屬者。謂皮肉脂髓俱竭。宗氣則衰矣。齊按甲。草木初生之莩子也。錯。鑢也。鑢。摩錯之器。甲錯者。皮閒枯澀。如鱗甲錯出也。

此章以趺陽脈。申明衛榮虛損之病也。蓋衛者水穀之悍氣。榮者水穀之精氣。趺陽脈浮而芤。浮者胃虛。虛陽浮越。故爲衛氣虛。芤者精氣損耗而不充。故爲榮氣傷。其身體瘦。肌肉甲錯。浮芤相搏。三焦所歸之宗氣。隨微衰。四屬失滋養。致斷絕矣。

寸口脈微而緩。微者衛氣疎。疎則其膚空。緩者胃氣實。實則穀消而水化也。水穀消化之謂。穀入於胃。脈道乃行。

水入於經其血乃成脈道血脈之道路乃心神之所行也水者水穀精微之水此言水穀入於胃消化其精水從三焦出滲脈道脈道得之乃行水入於經化而其血乃成之由也榮盛則其膚必疎三焦絕經名曰血崩禮運疏云膚革外薄皮革膚內厚皮齊按三焦絕經言三焦氣外不循經也血崩者血傾陷如山之崩壞暴下之病名

此章言寸口脈微而緩衛氣疎榮血盛血崩之所由也脈微者陽氣微而不充於外故爲衛氣疎疎則其膚空虛緩者精氣盛於內故爲胃氣實實則穀消而水化也穀入於胃脈道乃行水入於經其血乃成今衛氣疎榮血盛則衛氣不能行榮血血乃滯於內故其膚必疎三焦氣絕經血爲之傾陷

暴下。名曰血崩。

趺陽脈微而緊。緊則爲寒。微則爲虛。微緊相搏。則爲短氣。

此章言趺陽脈微而緊。緊則寒邪劇。故爲寒。微則胃氣微弱。故爲虛。微緊相搏。則正虛不任邪。虛氣急迫。而爲短氣矣。

少陰脈弱而濇。弱者微煩。濇者厥逆。謂厥甚也。

此章言少陰脈弱而濇。弱者腎氣微弱。而上不交通于心。乃心氣內鬱。而發微煩。濇者精血虛澀。陰陽氣不相順接。便爲厥逆。

趺陽脈不出脾不上下身冷膚鞕言形體不溫柔是蓋欲死之候

此章更言厥冷甚者也素問經脈別論云飲入於胃遊溢精氣上輸於脾脾氣散精上歸於肺通調水道下輸膀胱水精四布五經並行今趺陽脈不出脾氣不上下則精氣不能達於外故身冷膚鞕

少陰脈不至腎氣微少精血奔氣促迫上入胸膈宗氣反聚血結心下陽氣退下熱歸陰股與陰相動令身不仁此為尸厥當刺期門巨闕宗氣者三焦歸氣也有名無形氣之神使也下榮玉莖故宗筋聚縮之也濟按尸厥者血氣錯行陰陽氣不相順接暴從下歷起上行及于心脇神氣閉塞其狀如死之病名期門足肝經穴在巨闕旁四寸五分巨闕任脈經穴在鳩尾蔽骨下五分

此章申明尸厥脈證及刺法也。少陰脈不至，腎氣微，少精血，上不交于心，而內結奔氣，促迫上入胸膈，乃宗氣不得行，而反聚血，亦畱滯結心下，血氣不時交錯，而不得泄，陽氣退下，鬱生熱，熱氣歸陰股，與陰相動，陰陽氣不相順接，便厥，經隧堵塞，而神氣不通，令身不仁，其狀如死，故此爲尸厥。因刺期門，以散心下結血，刺巨闕，以行胸中宗氣，血氣流通，厥逆降而蘇矣。素問調經論云：血之與氣，幷走於上，則爲大厥，厥則暴死，氣復反則生，不反則死。此之謂也。

寸口脈微尺脈緊其人虛損多汗知陰常在絕不見陽也

此章言寸口脈微陽氣微尺脈緊寒邪在裏內氣鬱而與寒相搏其人虛損腠理爲鬱蒸疎而多汗陽更亡故知陰常在絕不見陽狀也

寸口諸微亡陽諸濡亡血諸弱發熱諸緊爲寒諸乘寒者則爲厥鬱冒不仁以胃無穀氣脾澁不通口急不能言戰而慄也鬱冒謂昏冒不知人也

此章言寸口脈諸病見微濡弱緊之病狀及諸病乘寒之證候也微者陽氣微故爲亡陽濡者血氣

虛輭故爲亡血弱者陰氣虛弱乃陽氣獨不能行而鬱故發熱緊者寒邪劇而與正氣搏擊故爲寒精虛乘寒者則陰陽氣不順接乃毒氣上逆而爲厥鬱冒不仁以胃無穀氣脾氣濇不通上不滋心肺筋燥陽氣內伏故使口急不能言戰而慄也

問曰濡弱何以反適十一頭師曰五藏六府相乘故令十一濡弱者屬脈氣不足而適十一頭故曰反適自得也六府膽胃大小腸膀胱三焦

此章論濡弱脈胃氣反適十一頭之義也濡弱者胃氣柔和之脈胃者受水穀而化之其精氣和調於五藏灑陳於六府而五藏六府相乘故反適令

十一頭也

問曰何以知乘府何以知乘藏師曰諸陽浮數爲乘府諸陰遲濇爲乘藏也

此章辨病乘府乘藏之脈義也府爲陽諸陽脈浮數是陽而陽故爲乘府藏爲陰諸陰脈遲濇是陰而陰故爲乘藏也又按辨脈平脈二篇其論意與三陽三陰篇內所說異者居多矣恐非仲景氏之舊論意此王叔和次仲景方論爲三十六卷之時爲論陰陽篇內所擧之諸脈法形象增補之也

傷寒論繹解卷第一 畢

傷寒論繹解
二

門 ヤ 武
號 392
冊 2

傷寒論繹解卷第二

平安　柳田濟子和　著

傷寒例第三

四時八節。二十四氣。七十二候。決病法。

立春。正月節。斗指艮　雨水。正月中。指寅

驚蟄。二月節。指甲　春分。二月中。指卯

清明。三月節。指乙　穀雨。三月中。指辰

立夏。四月節。指巽　小滿。四月中。指巳

芒種。五月節。指丙　夏至。五月中。指午

小暑。六月節。指丁　大暑。六月中。指未

立秋七月節指坤　處暑七月中指申

白露八月節指庚　秋分八月中指酉

寒露九月節指辛　霜降九月中指戌

立冬十月節指乾　小雪十月中指亥

大雪十一月節指壬　冬至十一月中指子

小寒十二月節指癸　大寒十二月中指丑

二十四氣節有十二中氣有十二五日爲一候中氣亦同合有七十二候決病生死此須洞解之也

陰陽大論云序中所謂陰陽大論春氣溫和夏氣暑熱秋氣清涼冬氣冰列此則四時正氣之序也此一節爲後論四時之變先言其正氣之次序也蓋天爲陽地爲陰晝爲陽夜爲陰春夏爲陽秋冬爲陰溫熱者陽氣之所生涼寒者陰

氣之所生。春時晝夜等分。而陽氣漸長。故其氣溫和。夏時晝長夜短。而陽氣盛。故其氣暑熱。秋時晝夜等分。而陰氣漸長。故其氣清凉。冬時晝短夜長。而冬時陰氣盛。故其氣冰冽。此則四時正氣之序也。

嚴寒。萬類深藏。君子固密。則不傷於寒。觸冒之者。乃名傷寒耳。

萬類深藏。言萬類遭寒則皆深藏而避之。也。君子所高貴富有之人言也。此先言傷寒之所因。成無己曰。冬三月純陰用事。陽乃伏藏。水冰地坼。寒氣嚴凝。當是之時。善攝生者。出處固密。去寒就溫。則不傷於寒。其涉寒冷。觸冒霜雪爲病者。謂之傷寒也。

其傷於四時之氣。皆能爲病。以傷寒爲毒者。以其最成殺厲之氣也。

此言於四時病中。以傷寒爲毒之由也。素問四氣調神大論云。陰陽四時者。萬物之終始也。死生之本也。逆之則災害生。從之則苛疾不起。蓋春溫夏熱秋凉冬寒者。四時之正氣也。故從之則苛疾不起。逆之則皆能爲病。是因入身失其常也。陽以生物。陰以殺物。寒者生於陰氣盛。故以傷寒爲毒。以其最成殺厲之氣也。中而卽病者名曰傷寒。不卽病者。寒毒藏於肌膚。至春變爲溫病。至夏變爲暑病。暑病者。熱極重於溫也。是以辛苦之人。春夏多溫熱病者。皆由冬時觸寒所致。非時行之氣也。辛苦之人。斥卑賤人言也。此言冬時中寒。而卽病者。爲傷寒。不卽病。過時變爲溫病。爲暑病之所由也。中而卽病者。觸寒甚。乃其毒深犯。而犯過正氣。正邪相搏。而忽惡寒。故名曰傷寒。不卽病者。觸寒微。乃其毒淺。伏藏於肌膚而與正氣不相搏。故不卽發。至春遇溫氣則人氣浮於外。而正邪相搏。鬱而成熱。變爲溫病。至夏遇暑氣則人氣盛於外。熱甚而惡熱。變爲暑病。故暑病者。熱極重於溫也。是以辛苦之人。春夏多溫熱病者。皆由冬時不能固密。觸寒所致。非時行之氣也。素問熱論云。凡病傷寒而成溫者。先夏至日爲病溫。後夏至日爲病暑。卽是此本冬時觸寒所致。而爲溫病爲暑病者。以兼時氣。其脈證與傷寒異故也。凡時行者。春時應暖而反大寒。夏時應熱而反大涼，秋時應涼而反大熱，冬時應寒而反大溫，此非其時而有其氣，是以一歲之中長幼之病多相似者，此則時行之氣也。此言時行之病也。春時應暖而反大寒，夏時應熱而反大涼，秋時應涼而反大熱，冬時應寒而反大溫，此非其時而有其氣，四時氣不正，則人身亦隨失常，而受其邪氣，是以一歲之中長幼之病多相似者，此則時行之氣也。夫欲候知四時正氣爲病及時行疫氣之法，皆當按斗曆占之。說文云：疫，民皆疾也，役省。斗，宿名，南斗北斗。埤雅：大玄曰，斗一北而萬物虛，斗一南而萬物盈，言萬物豐於緯夏，耗於玄冬，隨斗轉從而已。鶡冠子曰：斗運於上，事立於下，斗指一方，四塞俱成，此之謂也。曆，歲時氣節之數也。濟按：四時正氣爲病，上文云傷於四時之氣皆能爲病是也。時行者，前云非時之邪氣，是衆人皆舉其患，而長幼之病多相似，故更加疫字。此言四時正氣及時行疫氣之病法，因氣節之寒熱溫涼，其人有寒

思乾堂藏版

熱之輕重故皆當按斗曆占之以知也其法如下文所云

九月霜降節後宜漸寒向冬大寒至正月雨水節後宜解也所以謂之雨水者以冰雪解而爲雨水故也至驚蟄二月節後氣漸和暖向夏大熱至秋便涼

字彙云廣韻霜凝露也水柔爲雲降爲雨雪凝雨也蟄蟲藏也齊按霜降九月中斗指戌雨水正月中斗指寅驚蟄二月節斗指甲此爲下論傷寒之輕重先言從霜降至秋之氣候也九月霜降節後陰氣漸盛宜漸寒向冬陰氣極乃大寒正月雨水節後陽氣漸復宜寒解也所以以下十七字解雨水之名義也至驚蟄二月節後陽氣漸盛氣漸和暖向夏陽氣極乃大熱至秋陰氣漸復便涼也

從霜降以後至春分以前凡有觸冒霜露體中寒即病者謂之傷寒也九月十月寒氣尚微爲病則輕十一月十二月寒冽已嚴爲病則重正

月二月。寒漸將解。爲病亦輕。此以冬時不調。適有傷寒之人。卽爲病也。冽。寒氣嚴也。春分二月中。斗指卯。此言從霜降以後。至春分以前之間。凡有觸冐霜露。陽氣爲外寒肅退。乃陰氣凝結體中寒卽病者。謂之傷寒。及因其氣節。病有輕重也。此以冬時不調以下。申明冬時固密養陰不調。適有傷寒之人。卽爲病之由。卽四時正氣爲病者也。其冬有非節之暖者。名爲冬溫。冬溫之毒。與傷寒大異。冬溫復有先後。更相重沓。亦有輕重。爲治不同。證如後章。沓。重疊也。此辨傷寒冬溫之異。言其冬有非節之暖者。其人爲非節失其常。而感受其邪。故名爲冬溫。此雖同病於冬時。以兼溫氣。故其毒與傷寒大異。冬溫復有冬時先有伏寒。而後爲冬溫發病。先爲溫氣腠理疎開。而後受寒氣病者。更寒溫相重沓。亦有寒熱之輕重。乃爲治不同。其證如後章所云。此卽時行之氣。所謂冬時應寒。而反大溫者也。從立春節後。其中無暴大寒。

又不冰雪而有人壯熱爲病者此屬春時陽氣發於冬時伏寒變爲溫病立春正月節斗指艮此就冬溫更言從立春節後其中無暴大寒又不冰雪而有人壯熱爲病者此非傷寒又非春溫所病故爲屬春時陽氣發於冬時伏寒變爲溫病

從春分以後至秋分節前天有暴寒者皆爲時行寒疫也秋分八月中斗指酉此對溫及暑病而論時行寒疫蓋人身之腠理逢溫熱則開得寒凉則閉是以從秋分以後至春分節前天時寒凉乃陽氣斂降於內而腠理常閉當是時有非節之暴溫則腠理疎開寒氣從而犯矣從春分以後至秋分節前天時溫熱乃陽氣升發於外而腠理常開當是時有非節之暴寒則腠理不能密閉寒氣乘而犯矣要之並由天時失常與人身失常感其厲氣乃衆皆病今此暴寒故皆爲時行寒疫也

三月四月或有暴寒其時陽氣尚弱爲寒所折病熱猶輕五月六月陽氣已盛爲寒所折病

熱則重。七月八月陽氣已衰。爲寒所折。病熱亦微。其病與溫及暑病相似。但治有殊耳。此申明寒疫從三月至八月之間。因陽氣之弱盛衰。爲寒所折。病熱有輕重。其病天時溫熱。故與溫及暑病相似。然以病源異。但治法有異耳。蓋人者在於天地之氣中。故天地之陰陽盛衰。則人身之陰陽亦隨爲盛衰。是故陰寒甚則病寒重。微則輕。陽氣盛則病熱重。衰則輕矣。若前從霜降以後至春分以前云云。向寒涼。不善攝生。觸冒霜露之所致。故以寒之微甚。辨病之輕重矣。此溫暑之時。爲暴寒所折。故以陽氣之盛衰。辨病熱之輕重矣。然而凡例中所說之主意。全在於陰寒爲病。是以溫暑不獨爲病故也。

十五日得一氣。於四時之中。一時有六氣。四六名爲二十四氣。此爲下文先言二十四氣之所起也。節氣十二。中氣十二。共二十四。素問六節藏象論云。五日謂之候。三候謂之氣。六氣謂之時。四時謂之歲。

然氣候亦有應至仍不至。或有未應至而至

者或有至而太過者皆成病氣也成本仍作而是此就時氣更言四時氣候亦應至而不至未應至而至至而太過者是陰陽不和陰陽不和則人氣亦隨不和乃皆成病氣也

但天地動靜陰陽鼓擊者各正一氣耳字彙云天者理也氣也地者在天之氣中順承天施而成物也鼓擊也又動盪之也陰陽應象大論云陰陽者天地之道也萬物之綱紀變化之父母生殺之本始神明之府也治病必求於本故積陽爲天積陰爲地陰靜陽躁陽生陰長陽殺陰藏天地動靜陰陽之氣鼓擊而生春夏秋冬寒熱溫涼各正一氣耳

是以彼春之暖爲夏之暑彼秋之忿爲冬之怒成無已曰春暖爲夏暑從生而至長也秋忿爲冬怒從肅而至殺也

是故冬至之後一陽爻升一陰爻降也夏至之後一陽氣下一陰氣上也冬至十一月中斗指子夏至五月中斗指午上曰爻以卦言也下曰氣直以其氣言也是異文耳成無己曰十月六爻皆陰坤卦爲用陰

極陽來陽生於子冬至之後一陽爻升一陰爻降於卦爲復言陽氣得復也四月六爻皆陽乾卦爲用陽極陰來陰生於午夏至之後一陽氣下一陰氣上於卦爲姤言陰得遇陽也內經云冬至四十五日陽氣微上陰氣微下夏至四十五日陰氣微上陽氣微下斯則冬夏二至陰陽合也春秋二分陰陽離也陰陽交易人變病焉陽生於子而漸長陰生於午而漸長冬夏二至陰陽相交故爲合春秋二分陰陽同等而相分故爲離也此言四時陰陽交易人變病之由也此君子春夏養陽秋冬養陰順天地之剛柔也小人觸冒必嬰暴疹字彙云疹與疢同說文疢熱病也齊按小人前所云辛苦之人暴疹者暴厲之疾言春夏陽氣升散秋冬陰氣凝滯此以君子春夏以寒涼攝養陽秋冬以溫熱守養陰順天地之剛健柔順也小人不能順之乃觸冒四時之氣而必嬰暴疹四氣調神大論云夫四時陰陽者萬物之根本也所以聖人春夏養陽秋冬養陰以從其根故與萬物浮沉於生長之門逆其根則伐

其本壞其眞矣即是須知毒烈之氣。留在何經。而發何病。詳而取之。經者三陰三陽經何病傷寒飧泄瘧咳嗽溫等也言醫者須知外感毒烈之氣留在何經而發何病詳而取除之也是以春傷於風。夏必飧泄。夏傷於暑。秋必病瘧。秋傷於溼。冬必咳嗽。冬傷於寒。春必病溫。此必然之道。可不審明之。成無己曰飧泄者下利米穀不化而色黃周禮天官疾醫秋時有瘧寒疾冬時有嗽上氣疾疏云秋時陽氣漸消陰氣方盛惟火沴金兼寒兼熱故有瘧寒之疾劉河間曰無痰有聲謂之咳無聲有痰謂之嗽濟按此承前傷於四時之氣皆能爲病而詳陰陽交易入變病之義言春傷於風不即病者風毒留於肝經乃至夏陽氣爲暑熱發泄於外而內虛因毒氣內入肝而傳脾脾氣爲之衰而不消化穀故必飧泄夏傷於暑不即病者暑毒留於心經乃至秋涼氣束外毒氣內攻心而傳肺金火相戰故必病瘧秋傷於溼不即病者溼毒留於肺經乃至冬爲寒氣毒氣內陷入肺而傳肝肝氣鬱逆、與溼邪相搏、故必咳嗽、冬傷於寒、不卽病者、寒毒畱於腎經、乃至春陽氣升發、毒氣爲之動、乘虛入腎、而傳心、心氣內鬱而生熱、故春必病溫、此四時陰陽必然之道、不可不審明之、素問生氣通天論云、春傷於風、邪氣畱連、乃爲洞泄、夏傷於暑、秋爲痎瘧、秋傷於溼、上逆而咳、發爲痿厥、冬傷於寒、春必病溫、四時之氣、更傷五藏、卽是也、

傷寒之病、逐日淺深、以施方治、今世人傷寒、或始不早治、或治不對病、或日數久淹困、乃告醫、醫人又不依次第而治之、則不中病、皆宜臨時消息制方、無不效也、今搜採仲景舊論、錄其證候、診脈聲色、對病眞方、有神驗者、擬防世急也、

日淺深、下文云、一二日二三日是也、次第、太陽受病、陽明受病是也、仲景舊論、序中所謂傷寒雜病論合十六卷者也、聲色、五聲五色、此承前中而卽病者、名曰傷寒而言、傷寒之病、以其毒最成殺厲之氣、故逐日淺深、可早施方治、

此章言傷寒溫熱病。時行疫氣。四時陰陽交易。人變病之所因。證候治法。及採仲景舊論。以撰次之由也。成無己曰。仲景之書。逮今千年。而顯用於世者。王叔和之力也。醫林列傳云。王叔和。高平人也。性度沉靜。博好經方。尤精診處。洞識養生之道。深曉療病之源。採摭群論。撰成脈經十卷。敘陰陽表裏。辨三部九候。分人迎氣口神門。條十二經。二十四氣。奇經八脈。五藏六府。三焦。四時之痾。纖悉備具。咸可按用。凡九十七篇。又次張仲景方論。爲三十六卷。大行於世。多紀元堅傷寒論述義云。家丹州公醫心方。引養生要集。有高平王熙叔和曰語。據此。叔和名熙。以字行也。先友山本讓。嘗有此說。實爲前人之所未言及。

又土地溫涼高下不同。物性剛柔。飡居亦異。是故黃帝興四方之問。岐伯舉四治之能。以訓後賢。開其未悟者。臨病之工。宜須兩審也。皆川淇園曰。凡若象若形。一成而可斥名。皆攝之曰物。性者謂心之所發有成。而自亭者也。字彙云。食。呑食。能。才能也。

素問異法方宜論云。黃帝問曰。醫之治病也。一病而治各不同。皆愈何也。岐伯對曰。地勢使然也。故東方之域。天地之所始生也。魚鹽之地。海濱傍水。其民食魚而嗜鹹。皆安其處。美其食。魚者使人熱中。鹽者勝血。故其民皆黑色疎理。其病皆爲癰瘍。其治宜砭石。故砭石者。亦從東方來。西方者。金玉之域。沙石之處。天地之所收引也。其民陵居而多風。水土剛強。其民不衣而褐薦。華食而脂肥。故邪不能傷其形體。其病生於內。其治宜毒藥。故毒藥者。亦從西方來。北方者。天地所閉藏之域也。其地高陵居。風寒冰冽。其民樂野處而乳食。藏寒生滿病。其治宜灸焫。故灸焫者。亦從北方來。南方者。天地所長養。陽之所盛處也。其地下。水土弱。霧露之所聚也。其民嗜酸而食胕。故其民皆緻理而赤色。其病攣痹。其治宜微鍼。故九鍼者。亦從南方來。中央者。其地平以溼。天地所以生萬物也眾。其民食雜而不勞。故其病多痿厥寒熱。其治宜導引按蹻。故導引按蹻者。亦從中央出也。故聖人雜合以治。

各得其所宜故治所以異而病皆愈者得病之情
知治之大體也即是也

凡傷於寒則爲病熱熱雖甚不死若兩感於寒而病者必死。熱論云黃帝問曰今夫熱病者皆傷寒之類也或愈或死其死皆以六七日之間其愈皆以十日以上者何也不知其解願聞其故岐伯對曰巨陽者諸陽之屬也其脉連於風府故爲諸陽主氣也人之傷於寒也則爲病熱熱雖甚不死其兩感於寒而病者必不免於死

此以下十六節論傷寒六經受病之脉證治法兩感於寒者不兩感者及更感異氣變爲他病者也
此節先言凡人傷於寒則陽氣爲寒毒被壅遏鬱而爲病熱熱雖甚是本陽病邪氣在於表而入裏

故汗下得其宜。則邪熱消散。而病日愈。不死。若兩感於寒。而病者。一陰一陽俱病。邪氣在表裏。難解。故病日增劇。必死。以起下文。

尺寸俱浮者。太陽受病也。當一二日發。以其脈上連風府。故頭項痛。腰脊強。熱論云。傷寒一日。巨陽受之。故頭項痛。腰脊強。

太陽者。足太陽膀胱經也。太陽受病。邪氣在於表。而熱氣浮越。故以尺寸俱浮。爲太陽受病之脈。太陽主肌膚。乃先受病。故當一二日發。以其脈上連風府。故頭項痛。腰脊強。風府。穴名。在腦後。督脈陽維之會。蓋太陽脈。從巔入絡腦。還出別下項。是故曰上連風府以略其經脈也。

尺寸俱長者陽明受病也當二三日發以其脈夾鼻。絡於目故身熱目疼鼻乾不得臥熱論云二日陽明受之陽明主肉其脈俠鼻絡於目故身熱目疼而鼻乾不得臥也

陽明者足陽明胃經也陽明受病邪熱延漫故以尺寸俱長爲陽明受病之脈陽明主肉次太陽受病故當二三日發以其脈夾鼻絡於目故身熱目疼鼻乾不得臥。

尺寸俱弦者少陽受病也當三四日發以其脈循脇。絡於耳故胸脇痛而耳聾此三經皆受病未入於府

者可汗而已
聾耳無聞也府所謂胃言也淇園曰已謂
息而不復起也熱論云三日少陽受之
少陽主膽其脈循脇絡於耳故胸脇痛而耳聾三
陽經絡皆受其病而未入於藏者故可汗而已

少陽者足少陽膽經也少陽受病邪熱鬱結於胸脇故以尺寸俱弦爲少陽受病之脈少陽主膽次陽明受病故當三四日發以其脈循脇絡於耳故胸脇痛而耳聾三陽經絡皆受其病邪氣在於外法當汗解然亦有從經入府已入府則宜下之故曰未入於府者可汗而已

尺寸俱沉細者太陰受病也當四五日發以其脈布胃中絡於嗌故腹滿而嗌乾
海篇云嗌於亦切咽也
熱論云四日太陰受之

太陰脈布胃中。絡於嗌。故腹滿而嗌乾。

太陰者。足太陰脾經也。太陰受病。邪氣進而熱氣不能發。故以尺寸俱沉細。爲太陰受病之脈。太陰主脾。次少陽受病。故當四五日發。以其脈布胃中。絡於嗌。故腹滿而嗌乾。

尺寸俱沉者。少陰受病也。當五六日發。以其脈貫腎。絡於肺。繫舌本。故口燥舌乾而渴。熱論云。五日少陰受之。少陰脈貫腎。絡於肺。繫舌本。故口燥舌乾而渴。

少陰者。足少陰腎經也。少陰受病。邪氣入裏而不熱發。故以尺寸俱沉。爲少陰受病之脈。少陰主腎。

次太陰受病故當五六日發以其脈貫胃絡於肺繫舌本故口燥舌乾而渴

尺寸俱微緩者厥陰受病也當六七日發以其脈循陰器絡於肝故煩滿而囊縮此三經皆受病已入於府可下而已囊陰囊熱論云六日厥陰受之厥陰脈循陰器而絡於肝故煩滿而囊縮

厥陰者足厥陰肝經也厥陰受病邪氣怨壅遏而生內熱故以尺寸俱微緩爲厥陰受病之脈厥陰主肝次少陰受病故當六七日發以其脈循陰器絡於肝故煩滿而囊縮三陰經絡皆受其病邪氣尚在於外法當汗解已入於府宜下故曰已入於

府可下而已。三陽云汗。三陰云下者。三陽者主表。三陰者主裏也。

若兩感於寒者。一日太陽受之。卽與少陰俱病。則頭痛口乾煩滿而渴。二日陽明受之。卽與太陰俱病。則腹滿身熱。不欲食譫（之廉切。又女監切。下同）語。三日少陽受之。卽與厥陰俱病。則耳聾囊縮而厥。水漿不入。不知人者。六日死。（吳崐曰。譫音占。譫言。妄謬無序也。熱論云。兩感於寒者。病一日則巨陽與少陰俱病。則頭痛。口乾而煩滿。二日則陽明與太陰俱病。則腹滿身熱。不欲食。譫言。三日則少陽與厥陰俱病。則耳聾。囊縮而厥。水漿不入。不知人。六日死。）

此言兩感於寒者。必死之證候也。蓋一日太陽受之。卽與少陰俱病者。太陽者膀胱。少陰者腎。膀胱與腎。爲表裏故也。太陽少陰俱病。則邪氣在表裏。而不熱發。故頭痛口乾煩滿而渴。二日陽明受之。卽與太陰俱病者。陽明者胃。太陰者脾。胃與脾。爲表裏故也。陽明太陰俱病。則邪氣進於裏。而熱氣延漫。故腹滿身熱。不欲食讝語。三日少陽受之。卽與厥陰俱病者。少陽者膽。厥陰肝。膽與肝。爲表裏故也。少陽厥陰俱病。則邪氣在胸脇。而內熱。故耳聾囊縮而厥。水漿不入。不知人者。精神爲毒烈奪也。故死矣。六日死者。熱論所謂五藏已傷。六府不通榮衛不行如是之後三日乃死何也陽明者十二經脈之長也其血氣盛故不知人三日其氣乃盡故死矣卽此義又按素問以此節次於其不兩感於寒之後

若三陰三陽五藏六府皆受病則榮衛不行藏府不通則死矣（素問無若字及病則之則字）

此接前六經受病之節而更明其死證也言三陰三陽經絡五藏六府皆受病榮衛不行藏府不通則精氣爲毒遏竭而死矣素問以此文直接前尺寸俱微緩節煩滿而囊縮之句是也

其不兩感於寒。更不傳經。不加異氣者。至七日太陽病衰。頭痛少愈也。八日陽明病衰。身熱少歇也。九日少陽病衰。耳聾微聞也。十日太陰病衰。腹減如故。則思飲食。十一日少陰病衰。渴止舌乾。已而嚏也。十二日厥陰病衰。囊縱少腹微下。大氣皆去。病人精神爽慧也。字彙云、歇休息也、故舊也、爽清快也、慧通解也、齊按、更不傳經、言七八日以上、不再傳經也、不加異氣、言無重感寒、更遇風等也、太氣謂邪氣也、熱論云、其不兩感於寒者、七日巨陽病衰、頭痛少愈、八日陽明病衰、身熱少愈、九日少陽病衰、耳聾微聞、十日太陰病衰、腹減如故、則思飲食、十一日少陰病衰、渴止不滿、舌乾已而嚏、十二日厥陰病衰、囊縱少腹微下、大氣皆去、病日已矣、

此承六經受病而言其不兩感於寒。更不傳經。不

加異氣者。得汗下之適宜。則自七日至十二日。六經病衰。大邪之氣皆去。陰陽自和。病日已。精神爽慧之由也。非不藥而自愈之義。故素問此下有帝曰。治之奈何。岐伯曰。治之各通其藏脈。病日衰已矣。其未滿三日者。可汗而已。其滿三日者。可泄而已之一節。亦可以知矣。又按凡傷於寒。則爲病熱以下至此。卽熱論之言。而其文稍異耳。今見此章主脈以說六經受病之理。則是王叔和。加已意。以改其文辭也。可得知矣。又熱論無更傳經加異氣等之義。但篇末有凡病傷寒。而成溫者先夏至日。

傷寒論繹解卷二　十四　包花堂藏版

爲病溫後夏至日爲病暑暑當與汗皆出勿止之言因意再經異氣之說此亦昉於叔和也

若過十三日以上不間寸尺陷者大危間謬也成本寸尺作尺寸

此承十二日厥陰病衰而更言若十三日以上過經不間尺寸陷者寒毒內陷正虛不勝邪大危

若更感異氣變爲他病者當依後壞病證而治之他病者下文云溫瘧風溫等也壞病者謂六經病脈證敗壞而不一定也

此爲後段先言傷寒未已更感異氣兩邪相合變爲他病者當依壞病證而治之也

若脉陰陽俱盛重感於寒者變成溫瘧成本成作爲陽脈

浮滑。陰脈濡弱者。更遇於風。變爲風溫。陽脈洪數。陰脈實大者。更遇溫熱。變爲溫毒。溫毒爲病最重也。脈經云。實脈。大而長微強。按之隱指愊愊然。注云。一曰沉浮皆得。瀕湖脈學云。愊愊。堅實貌。濟按溫毒。謂熱邪甚也。陽脈濡弱。陰脈弦緊者。更遇溫氣。變爲溫疫。一本作瘧。濟按疫。恐病字之譌。不爾則義不通。以此冬傷於寒。發爲溫病。脈之變證。方治如說。是前所云。爲治不同。證如後章之義。

此詳傷寒重感。寒更遇風。遇溫。變爲他病者之脈證也。若脈陰陽俱盛。是邪熱盛於表裏也。而重感於寒者。寒熱相搏。變爲溫瘧。陽脈浮滑。陰脈濡弱者。邪熱盛於表而不瀉於裏也。而更遇於風。熱氣

傷寒論繹解卷二　十五　〔版心〕藏版

加。而表裏俱病。變爲風溫。陽脈洪數。陰脈實大者。邪熱盛於表。而實於裏也。而更遇溫熱。熱氣極甚。變爲溫毒。故曰溫毒爲病最重也。陽脈濡弱。陰脈弦緊者。寒毒藏於肌膚。熱氣鬱結於裏也。而更遇溫氣。邪熱爲溫氣發動。變爲溫病。故曰以此冬傷於寒。發爲溫病。脈之變證方治如說

凡人有疾。不時卽治。隱忍冀差。以成痼疾。痼疾者。病毒久不除固著之名。小兒女子。益以滋甚。時氣不和。便當早言。尋其邪由。及在腠理。以時治之。罕有不愈者。成無己曰。腠理者。津液湊泄之所。文理縫會之中也。患人忍之。數日乃說。邪氣入藏。則難可

制此爲家有患備慮之要（患人。患病人。備預辨也。淇園曰。要至約之理也。）

此章言凡人有疾不時即治隱忍冀自差須臾之閒邪氣浸入難除以遂成痼疾小兒女子肌肉輭弱因邪易犯入故益以滋甚是故時覺氣不和便當早言尋其邪之所由及在腠理以時治之罕有不愈者若患人忍之數日乃說言邪氣既入藏則難可制此爲家有患備慮之要義

凡作湯藥不可避晨夜覺病須臾即宜便治不等早晚則易愈矣如或差遲病即傳變雖欲除治必難爲力服藥不如方法縱意違師不須治之（須臾俄頃也。等候待也。）

此中言凡作湯藥不可避晨夜始覺病氣須臾卽宜便治不等早晚則易愈矣如或差遲病卽傳變而其勢已深雖欲除治之必難爲藥力服藥不如方法縱意違醫師不須治之素問五藏別論云拘於鬼神者不可與言至德惡鍼石者不可與言至巧病不許治者病必不治治之無功矣此之謂也

凡傷寒之病多從風寒得之始表中風寒入裏則不消矣風寒俱陰邪也故曰從風寒得之入裏則不消矣一句爲下文可下之言之此斜插未有溫覆而當不消散者不在證治擬欲攻之猶當先解表乃可下之覆蓋也擬議也溫覆謂以衣被覆身也若表已解而内不

消。非大滿猶生寒熱則病不除。若表已解而內不消。大滿大實堅有燥屎自可除下之雖四五日不能爲禍也。屎糞也。燥屎者謂宿糞爲熱乾固也。自字於義不穩。恐是則字之譌。若不宜下而便攻之內虛熱入協熱遂利煩躁諸變不可勝數輕者困篤重者必死矣。協熱利謂水熱相協而下利也。煩躁謂熱氣欲發難發而苦悶。乃不堪其勢而躁擾也。

此就前章云未入於府者可汗而已。已入於府可下而已。而明傷寒可汗下證候及誤下之諸變不可勝數輕者困篤重者必至死矣。

夫陽盛陰虛汗之則死。下之則愈陽虛陰盛汗之則愈。下之則死。夫如是則神丹安可以誤發。甘遂何可以妄攻。虛盛之治。相背千里。吉凶之機。應若影響。豈容易哉。成無已曰。神丹者。發汗之藥也。甘遂者。下藥也。桂枝下咽。陽盛卽斃。承氣入胃。陰盛以亡。死生之要。在乎須臾。視身之盡。不暇計日。此陰陽虛實之交錯。其候至微。發汗吐下之相反。其禍至速。交錯。互雜也。桂枝湯者。發汗藥也。承氣湯者。下藥也。而醫術淺狹。懵然不知病源。爲治乃誤。使病者殞沒。自謂其分。至今冤魂塞於冥路。死屍盈於曠野。仁者鑑此。豈不痛歟。其分。不思誤治。惟爲命之盡也之謂。淇園曰。勉身以從安人之務者。仁也。反之爲不仁。

此申明陰陽虛實發汗吐下。相反之禍。深誡其誤治也。蓋人身。元氣爲陽。形體爲陰。乃陽氣者。憑陰而通。陰氣者得陽而行。是故陽有餘。陰不足者。感外邪。則以陽氣不能獨宣通。故忽鬱而內生熱。熱益消陰。陰有餘。陽不足者。感外邪。則以陽氣不充於外。故陰氣獨滯。而外生寒。寒益亡陽矣。今陽盛陰虛。是陽熱盛實於內。而陰氣消虛。故汗之則眞陰枯涸而死。下之則邪熱清解。陰氣復而愈。陽虛陰盛。是陽氣亡虛。而陰寒盛於外也。故汗之則寒邪除。陽氣復而愈。下之則元陽虛脫而死。夫如是則神丹安可以誤發。甘遂何可以妄攻。虛盛之治法。相背千里。汗下當則吉。汗下不當則凶。其機應。若影隨形。響應聲。豈容易哉。況桂枝之辛熱下咽。陽熱盛於內。則表液徒亡。邪熱增劇而即斃。承氣鹹寒入胃。陰寒盛於外。則內氣徒亡。乃外寒陷入。正不堪邪而以亡。死生之要在乎須臾。視身命之盡。不暇計日。此陰陽虛實之交錯。其候至微。金匱玉函經證治總例云。仲景曰。不須汗而強與汗之者。奪其津液。令人枯竭而死。又須汗而不與汗之者。使諸毛孔閉塞。令人悶絕而死。又不須下而強與下之者。令人開腸洞泄。便溺不禁而死。又須下而不與下之者令人心内懊憹脹滿煩亂浮腫而死此之謂也凡病在於外者汗之在於膈上者吐之實於内者下之是此正治若相反之其禍至速而醫術淺狹懵然不知病源爲治乃誤使病者須沒自謂其分至今寃魂塞於冥路死屍盈於曠野仁者鑑此豈不痛歟

凡兩感病俱作治有先後發表攻裏本自不同而執迷用意者乃云神丹甘遂合而飲之且解其表又除其裏言巧似是其理實違夫智者之舉錯也常審以愼愚者之動作也必果而速安危之變豈可詭哉世

上之士。但務彼翕習之榮。而莫見此傾危之敗。惟明者。居然能護其本。近取諸身。夫何遠之有焉。淇園曰。錯與措同。果。取其實之所合之辭。詭。謂作車以出之其定軌之外者也。翕。謂相聚合也。習。知通其物之稱。

此承前兩感病。而辨其治法有先後發表攻裏本自不同。而執迷用意者。乃云神丹甘遂合。而飲之且解其表。又除其裏。言巧似是。其理實違。世上之士。但務彼翕習之榮。而莫見此傾危之敗也。

凡發汗溫煖湯藥。其方雖言日三服。若病劇不解。當促其間。可半日中盡三服。若與病相阻。即便有所覺。病重者。一日一夜當晬時觀之。如服一劑。病證猶在。

故當復作本湯服之至有不肯汗出服三劑乃解若汗不出者死病也。全書㥄作服是晬時周時也一夜下脫服字

此就前可汗而詳發汗劑之服法也發汗藥須溫服者易為發散也日三服者藥力續也若病劇不解當促其間可半日中盡三服以折病勢不可拘於本法若藥與病相阻不効即便有所覺不佳病重者一日一夜服當晬時觀之如服一劑病證猶在故當復作本湯服之至有不肯汗出服三劑乃解若服三劑汗不出者邪氣太甚正氣虛而不振起也故為死病也

凡得時氣病至五六日而渴欲飲水飲不能多當與不也何者以腹中熱尚少不能消之便更與人作病也至七八日大渴欲飲水者猶當依證而與之與之常令不足勿極意也言能飲一斗與五升若飲而腹滿小便不利若喘若噦不可與之也忽然大汗出是爲自愈也（全書當與不作不當與是忽然卒急貌）

此辨時氣病與水之可不可也至五六日邪氣入裏之時而渴欲飲水飲不能多者以腹中熱尚少不能消之故不當與也便更與其人作他病也至七八日大渴欲飲水者熱既盛也然猶當多少依

證與之與之常令不足勿極意也言能飲一斗與五升若飲而腹滿小便不利若喘若噦者爲水停不可與之也忽然大汗出者胃燥得水潤和氣液宣通乃邪熱暴發而散於外故是爲自愈也

凡得病反能飲水此爲欲愈之病其不曉病者但聞病飲水自愈小渴者乃強與飲之因成其禍不可復數也字彙云曉明也慧也

此申戒小渴者強與飲水求病愈之誤也

凡得病厥脉動數服湯藥更遲脉浮大減小初躁後靜此皆愈證也

此言服湯藥而病愈之脈證也。得病厥。脈動數者。寒毒壅遏陰陽氣爲之不順接而上逆。裏氣鬱而生熱故也。乃湯入而更遲者。邪解熱散而脈氣靜也。脈浮大者。邪熱在外而盛也。而減少者。熱除而脈治也。初躁者。邪氣滾進而正氣不勝也。而後靜者。邪退而正復也。故此皆爲愈證也。

凡治溫病。可刺五十九穴。穴者孔穴骨空之處靈樞熱病云熱病三日而氣口靜人迎躁者取之諸陽五十九刺以寫其熱而出其汗實其陰以補其不足者身熱甚陰陽皆靜者勿刺也其可刺者急取之不汗出則泄所謂勿刺者有死徵也又云所謂五十九刺者兩手外內側各三凡十二痏五指間各一凡八痏足亦如是頭入髮一寸傍三分各三凡六痏更入髮三寸邊五凡十痏耳前後口下者各一項中一凡六痏巔上一顖會一髮際一廉泉一風池二天柱二又身之穴三百六十有五其三十穴灸之有害七十九穴刺之爲災幷中髓也成本三十穴作三十九穴灸灼體療病也

此言溫病刺穴及灸刺禁穴也治溫病可刺五十九穴者以瀉諸經之熱也又身之穴三百六十五以應一歲其三十九穴灸之有害七十九穴刺之爲災是皆肉薄血脈微少之處灸刺幷中骨髓也

脈四損三日死平人四息病人脈一至名曰四損脈經脈四損上有熱病二字平人上有所謂四損者五字息作至是也平人四息病人脈一至過遲下並意同

脈五損一日死平人五息病人脈一至名曰五損脈經

脈五損上。有熱病二字。平人上。有所謂五損者五字。息作至。

脈六損。一時死。平人六息。病人脈一至。名曰六損。脈經脈六損上。有熱病二字。平人上。有所謂六損者五字。息作至。曰六損下。有若絕不至。或久乃至。立死十字。

成無己曰。四藏氣絕者。脈四損。五藏氣絕者。脈五損。五藏六府俱絕者。脈六損。

脈盛身寒。得之傷寒。脈虛身熱。得之傷暑。素問虛實要論。脈並作氣。脈經云。虛脈遲大而軟。按之不足。隱指豁豁然空。

此以脈證辨傷寒傷暑也。陰陽應象大論云。寒傷形。熱傷氣。蓋寒爲陰。形爲陰。故寒傷形。陰寒緊縮。乃陽氣退而鬱於內。故脈盛身寒。爲得之傷寒。熱

爲陽氣爲陽故熱傷陽氣暑熱發陽乃氣蒸於外而內虛故脈虛身熱爲得之傷暑矣

脈陰陽俱盛大汗出不解者死

此以下五章明死脈證也脈陰陽俱盛者邪熱盛而尚在於表因大汗出則應解而不解者氣液脫於外而邪熱實故爲死素問評熱病論云汗出而脈尚躁盛者死此之謂也

脈陰陽俱虛熱不止者死

成無已曰脈陰陽俱虛者眞氣弱也熱不止者邪氣勝也內經云病溫虛甚者死

脉至乍數乍踈者死。

脉至乍數乍踈者精虚甚而脉氣亂也故死。

脉至如轉索其日死。全書索下有者字索縄索。

成無已曰為緊急而不軟是中無胃氣故不出其日而死。

譫言妄語身微熱脉浮大手足溫者生逆冷脉沉細者不過一日死矣。

譫言妄語邪熱實也身微熱脉浮大手足溫者精氣尚存而脉病相應故生逆冷脉沉細者精脫而脉病不相應故不過一日而死難經云脉不應病

病不應脈是爲死病

此以前是傷寒熱病證候也

傷寒例中論熱病故云爾此篇亦王叔和欲明傷寒及溫熱時行疫氣之所因脈證治法而爲之例者也所以傷寒例中論溫熱時行疫氣者蓋溫熱時行疫氣是皆以其原觸冒陰冷邪氣而兼氣候乃各爲其病故也所謂今夫熱病者皆傷寒之類也人之傷於寒也則爲病熱是也又按辨脈平脈傷寒例三篇雖出于叔和然此古醫經之言多而說脈義病理之玄機者亦不少則非可全廢宜熟

讀玩味以爲診脈察病之輔翼矣

辨痓溼暍脈證第四

痓音熾又作痙巨郢切下同濟按原本痓溼作痓濕玉函作痓溼成無己曰痓當作痙傳寫之誤也是今從之竊改痓下同溼字義見平脈

傷寒所致太陽病痓溼暍此三種宜應別論以爲與傷寒相似故此見之

此章言太陽病痓溼暍因傷寒更有所兼得之乃此三種宜應別論以爲與傷寒相似故此見之以辨其疑途也

太陽病發熱無汗反惡寒者名曰剛痓

太陽病發熱汗出而不惡寒病源云惡寒名曰柔痓

太陽病發熱脈沉而細者名曰痓 金匱要略痓下有爲難治三字

太陽病發汗太多因致痓

病身熱足寒頸項強急惡寒時頭熱面赤目脈赤獨頭面搖卒口噤背反張者痓病也 金匱身上有者字無脈字下面作動

太陽病關節疼痛而煩脈沉而細 一作緩 者此名溼痹 一云中溼濟按玉函作太陽病而關節疼煩其脈沉緩爲中溼 溼痹之候其人小便不利大便反快但當利其小便 金匱無其人二字玉函無溼痹之候以下

溼家之爲病一身盡疼發熱身色如似熏黃 金匱無似字黃下有也字

溼家其人但頭汗出背強欲得被覆向火若下之早

則噦胸滿小便不利舌上如胎者以丹田有熱胸中有寒渴欲得水而不能飲口燥煩也金匱胸滿上有或字胸中作胸上水作飲口上有則字

溼家下之額上汗出微喘小便利一云不利者死若下利不止者亦死

問曰風溼相搏一身盡疼病法當汗出而解值天陰雨不止醫云此可發汗汗之病不愈者何也答曰發其汗汗大出者但風氣去溼氣在是故不愈也若治風溼者發其汗但微微似欲出汗者風溼俱去也金匱無問曰二字疼病作疼痛是答曰作蓋一字成本出汗作汗出

溼家病身上疼痛發熱面黃而喘頭痛鼻塞而煩其脈大自能飲食腹中和無病病在頭中寒溼故鼻塞內藥鼻中則愈（金匱身上疼痛作身疼）

病者一身盡疼發熱日晡所劇者此名風溼此病傷於汗出當風或久傷取冷所致也（金匱無此名之此字）

太陽中熱者暍是也其人汗出惡寒身熱而渴也（金匱無其人二字及渴也之也字）

太陽中暍者身熱疼重而脈微弱此夏月傷冷水水行皮中所致也（金匱無者字此下有以字）

太陽中暍者發熱惡寒身重而疼痛其脈弦細芤遲

小便已。洒洒然毛聳。手足逆冷。小有勞身即熱。口開前板齒燥。若發汗則惡寒甚。加溫鍼則發熱甚。數下之則淋甚。金匱無者字。口開前作口前開。

按痓溼暍者。雜病也。故已詳載此病因脈證治方于雜病中。今稱金匱要略方論者是也。則今不可再論於此也。且校此篇與金匱要略方論。文辭有所異。見之則亦知非出于一人之手矣。因意此夫如篇首所云。王叔和。欲令人辨別為三病之與傷寒相似。而但舉其病因脈證。以此見之也。是故三病於金匱要略。加注釋此略之。

辨太陽病脈證并治上第五　合一十六法方一十四首　中西惟忠

傷寒論辨正云凡病之於轉機千變萬化靡有窮極焉然體已有所病則轉機必形乎外乃其形乎外者在脈之與證矣脈之與證未始不具于體焉乃推之於外而察體之所病者唯脈證何由故脈必須證證必須脈脈證相須而後轉機可以盡焉雖變化之千萬乎又何所遺哉夫然後治可以治矣故今辨脈證之別示其治法如左濟按原本每篇目次提揭篇內病脈證有治方者是倉卒令其要者易見也然非古人簡約之意此亦成叔和之手也又其章下有幾味何病幾證用前第幾方等注文此林億等之所加也於本篇中亦然矣俱繇重可厭故今並除去之

此篇論太陽病邪氣在於表而緩者為桂枝湯證因舉其變證數章焉若夫太陽病項背

强几几。反汗出惡風之章。提出其稍重者。以爲中篇葛根湯之根起焉。中間乃自太陽病。三日已發汗以下。至於心下滿微痛。小便不利。是皆桂枝之變也。末段乃論傷寒脈浮。自汗出。小便數。心煩微惡寒。脚攣急者。此壞病而桂枝不中。與反與桂枝。重發汗。復加燒鍼。其逆變宜。與四逆湯。以明觀其脈證。隨證治之之義。是乃一篇總結。讀者宜首尾通貫焉。又按三陰三陽。素問靈樞。爲十二經脈之名。而又爲人身陰陽太少之名。通天篇所謂。蓋有太陰之人少陰之人太陽之人少陽之人陰陽和平之人凡五人者其態不同其筋骨氣血各不等是也又有爲天地陰陽盛衰之名六元正紀大論所說陰年陽年太過不及主運客運司天在泉勝復等是也又有但言足六經而不言手六經熱論云傷寒一日巨陽受之故頭項痛腰脊强二日陽明受之陽明主肉其脈俠鼻絡於目故身熱目疼而鼻乾不得臥也三日少陽受之少陽主膽其脈循脇絡於耳故胸脇痛而耳聾三陽經絡皆

受其病而未入於藏者故可汗而已四日太陰受之太陰脈布胃中絡於嗌故腹滿而嗌乾五日少陰受之少陰脈貫腎絡於肺繫舌本故口燥舌乾而渴六日厥陰受之厥陰脈循陰器而絡於肝故煩滿而囊縮三陰三陽五藏六府皆受病榮衛不行五藏不通則死矣傷寒例囊縮下有此三經皆受病已入於府可下而已十四字是論傷寒六經受病之大意及汗下之法乃但言足經則足明其證候故不及手經也蓋三陰三陽者經名素是欲區別人身之陰陽盛衰病發

之處。以論病狀證候。故分經脈各設之名者也。背爲陽部。腹爲陰部。元氣爲陽。形體爲陰。陽病者。邪熱發於表。其應見乎頭項腰脊脇腹。故取行頭項腰脊脇腹之經脈。以名爲陽。更分陽氣盛衰。爲太陽少陽陽明。而各明病處證候。陰病者。寒毒進於裏。其應在乎胸腹咽喉。故取行胸腹咽喉之經脈。以名爲陰。更分陰氣盛衰。爲太陰厥陰少陰。而各明病處證候也。本論先辨太陽病脈證并治。而立陽明少陽太陰小陰厥陰之次第者。與熱論同。

而旨趣有所異焉。其所以異者。仲景氏從其舊名。因欲分於外感邪氣之深淺陰陽盛衰。脈證者耳。如經之根結。傳同穴處等。則置不論。唯其湯液隨證治者。爲之專務也。而陰陽盛衰之所因不一矣。或因天稟。或因老少。或因疾病。或因太過不及之氣運。或因四時氣候。或因晝夜。或因風雨陰晴。然而本論不言其所因。直就人身。分陰陽盛衰。各明其脈證矣。是卽通天篇所云之意。蓋形氣相依爲混合。故太陽病者。陽氣盛也。陽氣盛者。陰氣亦隨盛。然陽氣主焉。乃熱氣發於表。而與寒邪相搏。故指見脈浮頭項强痛。而惡寒。發熱惡風等證。陽明病者。陽氣極盛也。陽氣極盛者陰氣亦隨盛。乃熱氣延漫於表裏。而寒化爲熱。故指見胃家實腹滿譫語惡熱潮熱濈然汗出等證。少陽病者。陽氣衰少也。陽氣衰少者。陰氣亦隨衰。乃熱氣難發於表。鬱於胸脇而正邪分爭。故指見口苦咽乾目眩脇下鞕滿。往來寒熱等證。此三病。名之以陽者。是取熱氣發越於表之象也。太陰病者。陰氣盛也。

陰氣盛者。陽氣亦隨盛。然陰氣主焉。乃寒邪進於裏。而熱氣不能發於表。故指見腹滿。而吐食不下。自利益甚。時腹自痛。手足溫等證。少陰病者。陰氣衰少也。陰氣衰少者。陽氣亦隨衰。乃寒邪進於裏。急而熱氣不發於表。故指見脈微細。但欲寐。吐利。手足逆冷。咽痛。胸滿。心煩。口燥。咽乾等證。厥陰病者。陰氣衰竭也。陰氣衰竭者。陽氣亦隨衰。乃寒邪忽壅遏。而氣液不行。故指見消渴。氣上撞心。心中疼熱。飢而不欲食。食則吐蚘等證。此三病名之

以陰者是取寒邪進於裏之象也刺志論云
氣實形實氣虛形虛此其常也反此者病調
經論云陽虛則外寒陰虛則內熱陽盛則外
熱陰盛則內寒此之謂也夫如爲十二經脈
之名而說經絡蓋爲施鍼灸設之者居多是
故本論亦於灸刺則言經脈穴處以明之矣
然而後世張大邪氣犯傳於經脈之說其臆
斷亦甚矣何則人身之有經絡猶一綱羅絡
上絡下屬內屬外轉左轉右或別或合其支
別結如糾繩非每一經有終始而止也且痰

病之於人也係于全體豈止一經一絡一藏一府之所偏受乎哉表病裏感內患外應藏府相通上下相須一所不和周身隨而不順唯有淺深緩急隱於彼顯於此之異耳若執泥經絡愈生多岐之惑宜就其證審問明辨以施治矣

太陽之爲病之爲二字者分于陽明少陽等之辭下皆倣之脈浮頭項強痛頭痛項強也而惡寒調經論云陽受氣於上焦以溫皮膚分肉之間今寒氣在外則上焦不通上焦不通則寒氣獨留於外故寒慄此謂惡寒也蓋太陽病者陽氣盛而邪熱上衝因脈浮頭項強痛而是熱氣將表發而未發乃寒邪獨留於外故惡寒且太陽病已發熱則惡寒當變惡風故加而字以示熱

之與寒之分界及惡寒惡風之變態

此章論太陽病初發未發熱者故唯曰脈浮頭項强痛而惡寒也太陽者陽氣盛之謂也故太陽受寒邪則寒熱相搏於表而致此脈證也太陽病必當發熱也而不言發熱者今未發唯是惡寒卽見其將發熱故次章以下已見發熱而後言惡風寒此太陽病之總綱後凡稱太陽病者皆由此脈證立言以及其變本論以三陰三陽分人身之陰陽盛衰而各明其脈證矣此章及陽明至厥陰於首章乃総論之故冒三陽三陰名以詳其證首章以

下乃單提三陽三陰名而略其證此簡言省煩欲令學者易通曉者也

太陽病折略前章脈證發熱汗出惡風發熱者陽氣爲外寒內鬱鬱極而發於表也調經論云帝曰陽盛生外熱奈何岐伯曰上焦不通利則皮膚緻密腠理閉塞玄府不通衞氣不得泄越故外熱此謂太陽發熱也發熱則熱氣升蒸津液腠理開而汗出是邪氣淺故也若邪氣深鬱閉甚則雖發熱無汗太陽病當惡寒而今變惡風者發熱也是亦邪氣進緩也若邪氣進急者雖發熱仍惡寒脈緩者名爲中風字彙云風大塊之噫氣濟按風者天地間陰氣之發動者其性喜解緩故名之于外邪之淺鬱熱直發於表其毒進緩之證中風者對傷寒之名宋以後呼爲傷風

此承首章而舉太陽病中有其感之淺鬱熱直發於表其毒進緩者乃見發熱汗出惡風脈緩證名

之爲中風。此太陽中風之總綱。後凡稱太陽中風者。皆由此脈證立言。以及其變。按中風傷寒。亦皆觸冐陰厲之氣。而病者也。非有二邪。唯有其毒之淺深緩急。因以爲名矣。後世以陰陽辨風寒。恐無稽之說。

太陽病。或已發熱。或未發熱。必惡寒。或者。未定之辭。此發熱遲速不一也。必者。定然之辭。此惡寒極見也。發熱有遲速。而惡寒必見者。邪氣進急也。體痛嘔逆。體痛總言身疼。腰痛。骨節疼痛也。嘔逆。謂嘔劇也。胃中之氣。被寒外束。不能發越。故嘔逆也。或謂嘔而氣逆。非。脈陰陽俱緊者。首章但言脈浮。而未分其緩與緊。浮者邪氣在表也。次章脈緩。緩者邪氣淺緩。故爲中風。此章脈緊。緊者邪氣深劇。故爲傷寒。乃脈緩。脈緊。當作浮緩。浮緊看。脈陰陽。不言其所候

之處故其說不一定矣按決死生論辨三部九候曰
上部天兩額之動脈上部地兩頰之動脈上部人耳
前之動脈中部天手太陰也中部地手陽明也中部
人手少陰也下部天足厥陰也下部地足少陰也下
部人足太陰也兩額足少陽經兩頰足陽明經耳前
手少陽經據之則古人診脈不獨寸口於諸經之動
脈皆診之其法於上部取足少陽足陽明手少陽者
是上主陽也於中部取手太陰手陽明手少陰者是
中陰陽交會也於下部取足厥陰足少陰足太陰者
是下主陰也又半身以上爲陽以下爲陰故陽者候
之於上陰者候之於下陰陽交會者候之於中此所
謂脈陰陽之義也然而但曰脈陰陽不言其所候之
處者以往昔診法備矣乃人之所能知故約言之也
又單曰脈者獨指寸口脈言也而不言寸口者蓋寸
口者此爲脈之大會而主診之故曰脈則爲寸口固
明矣故不言也是以三陽三陰篇中單曰脈者極多
曰脈陰陽者僅八章而其三章者非舊論其止五章
者唯是爲辨別中風之與傷寒之輕重設之故爾矣
名爲傷寒○夫寒者天地陰厲肅殺之氣也蓋雖二氣
充滿天地間除一箇日輪之外山川草木

月星雲漢凡有形者皆無不屬陰而日輪則爲太陽之精麗于天運行不息或近或遠不常其位人則不可與之轉移傳著于太陰凝塊之地不離于渣滓污濁之中惟資其餘陽運行不息之氣以爲斯生而人之賦質不可超乎萬類故不能無爲陰厲肅殺之氣所犯也然人已受斯生養之則長不養則夭養之在能養其形氣形體完固氣血周營則寒氣不得害若饑飽勞倦睡中房後有一時形氣不衛則寒氣隨犯其觸冒甚則其毒徑深進而肌肉骨節藏府爲之被傷故名傷寒非獨指冬時嚴寒之寒也

此對前章中風脈證而舉其感之深鬱熱難表發其毒進急者乃見或已發熱或未發熱必惡寒體痛嘔逆脈陰陽俱緊證名之爲傷寒風曰中寒曰傷者此亦有毒之淺深緩急之別已可無他求矣

此傷寒之總綱後凡稱傷寒者皆由此脈證立言

以及其變又按中風者感邪淺熱氣直發於表而其毒進緩惟終太陽證耳故雖於太陽病中立之名目三陽三陰曰太陽中風陽明中風少陽中風太陰中風少陰中風厥陰中風傷寒者感邪深熱氣難表發而其毒進急不止太陽證也故雖於太陽病中立之名單曰傷寒以示自轉屬陽明少陽太陰矣其轉屬者所謂或已發熱或未發熱必惡寒體痛嘔逆脈陰陽俱緊者若熱氣加而發熱無汗嘔不能食反汗出濈濈然者此爲屬陽明若陽氣衰少邪熱鬱胸脇脈弦細頭痛發熱者此爲屬

少陽。若陰氣盛。熱氣不能表發。脈浮緩。手足自溫者。此爲屬太陰。而不轉屬於少陰厥陰。所以然者。少陰病者。陰氣衰少。而不發熱。寒邪徑進入裏。厥陰病者。陰氣衰竭。寒邪忽壅遏。乃其脈證與傷寒脈證懸絶。故傷寒雖淺劇。不直至於此。也是故少陰厥陰。則各各分理。曰少陰病厥陰病。無傷寒名字。但厥陰篇論傷寒者。是寒毒壅遏陰陽氣爲之不相順接爲厥。爲發熱者。而固非厥陰病之比也。故諸四逆厥章以下。無厥陰名及轉屬厥陰等之言。玉函截諸四逆厥章以下。爲厥利嘔噦病之一篇亦可以知于此矣太陽病亦有轉屬必在經汗吐下後所謂脈浮頭項強痛而惡寒者發其汗汗先出不徹乃熱氣加不惡寒而渴者爲屬陽明發汗不解陽氣衰少脇下鞕滿乾嘔不能食往來寒熱脈沉緊者爲轉入少陽反下之陰氣盛腹滿時痛者爲屬太陰而此亦不轉屬於少陰厥陰所以然者太陽者陽氣盛熱氣發於表故雖經汗吐下不直陷於此也又有太陽與陽明合病有太陽與少陽合病有三陽合病有陽明少陽合病有二陽併病而不與三陰合併者蓋以三陽熱氣發於表

三陰寒邪進於裏故無合併也傷寒例云兩感者此謂陰陽俱病也然三陽三陰篇中絕無及其義者則不足信據矣又三陰無合併者以寒邪進極急故也或問曰此書論三陽三陰病及中風傷寒而特以傷寒表稱者何也答曰蓋三陽三陰病及中風傷寒並皆從外感陰厲邪氣得之矣而三陰三陽者是因其人之陰陽盛衰其所見之脈證各有所異乃爲區別其脈證設之名也故以此命篇中風者是爲於三陽三陰病中別其最淺緩者設之名也故冐三陽三陰名以分明之唯傷寒也者

雖於太陽病中立中之名。是最深劇。而自能爲轉屬。故特以此爲外感邪氣之紛名。而表稱之也。又問太陽病中風傷寒。其正脈證之所異何如。今約曰之。太陽病者。脈浮發熱惡風。中風者。脈浮緩發熱汗出惡風。傷寒者。脈浮緊發熱惡寒。是其所異也。

傷寒一日。太陽受之。脈若靜者。爲不傳。脈靜。卽緩之意。頗欲吐。若躁煩。脈數急者。爲傳也。脈數急。卽緊之意。

此章依脈定證。而論傳不傳也。言傷寒一日太陽受之。脈若靜者。邪氣不進。故爲不傳於他經。頗欲吐。若躁煩。脈數急者。邪氣進。故爲傳也。

傷寒二三日。陽明少陽證不見者。爲不傳也。

此章申明二三日。而不傳者也。言二日陽明受之。三日少陽受之。今其證不見。故爲不傳也。二章是依熱論言之。所謂傳經之說也。此皆推論其理。擧其大抵耳。非計日以限病之謂。然難以爲常軌。何者。病之日數。轉變之機不一。或有太陽正病者。有太陽病。十餘日不解。或有陽明正病者。有陽明病。過十日不解。有本太陽病發汗。轉陽明者。或有少陽正病者。有本太陽病不解。入少陽者。或有太陰正病者。有本太陽病反下之。屬太陰者。至少陰厥陰。則唯正病者耳。而無太陽直轉於此。凡病之踰越不關次序。故曰隨證施治者。不可不察矣。

太陽病。發熱而渴。不惡寒者。爲溫病。若發汗已。身灼熱者。名風溫。灼熱。謂身熱如灼也。風溫爲病。脈陰陽俱浮。自汗出。評熱病論云。人所以汗出者。皆生於穀。穀生於精。今邪氣交爭於骨肉而得汗者。是邪卻而精勝也。精勝則當能食而不復熱。復熱者。邪氣也。汗者。精氣也。今汗出而輒復熱者。是邪勝也。不能食者。精無俾也。病而留者。其壽可立而傾也。且夫熱論曰。汗出而脈尚躁盛者死。是言汗出而復熱也。身重。多眠睡。鼻息必鼾。語言難出。鼾。睡臥息也。橘春暉傷寒論分注云。鼾。邪氣外塞。陽氣內滿。呼吸之氣。溢于畜門也。若被下者。小便不利。直視失溲。下者。總言瀉下諸劑也。失溲者。遺失小便也。素問宣命五氣篇云。膀胱不利爲癃。不約爲遺溺。今因下毒氣逆上者。

精氣難行於下乃膀胱不和而小便不利毒氣迫上直視則精氣不施於下下虛膀胱不約而失洩故既云不利又曰失洩也。若被火者微發黃色劇則如驚癇時瘈瘲火者總言火攻法也微劇火逆之微劇千金要方驚癇篇云病先身熱掣瘲驚啼叫喚而後發癇脈浮者爲陽癇病在六府外在肌膚猶易治也病先身冷不驚掣不啼呼而病發時脈沉者爲陰癇病在五藏內在骨髓極難治也病發身軟時醒者謂之癇也起於驚怖大啼乃發作者此驚癇也春暉曰如驚癇火熱煎耗心血故神不得安舍瘈瘲燥及筋絡陽氣偏行也字典云瘈集韻吉詣切音計狂也又詰計切音契瘈瘲癎疾瘲集韻足用切音縱玉篇瘈小兒病萬病回春云瘈筋脈急而縮也瘲筋脈緩而伸也若火熏之一逆尚引日再逆促命期。若火熏之玉函作復以火熏之是此汗下火非盡經之故並加若字熏法者以火氣熏蒸身體而發汗也上云被火而此特曰火熏之者熏法最主發汗故也成無己曰先曾被火爲一逆若更以火熏之是再逆也是命期者死期之謂也此章辨溫病及風溫發汗下火後之諸變證也。言太陽病當惡寒不渴，而發熱而渴不惡寒者，過溫氣熱氣凑之所致，故爲溫病。此先見溫病而起風溫也。若欲解太陽表邪，發汗已，身灼熱者，是更感風因邪不除而熱氣加也，故名風溫。風溫者，邪氣在於表裏而上逆，精神昏冒而不應，故其爲病，脈陰陽俱浮，自汗出，身重，多眠睡，鼻息必鼾，語言難出。此更明風溫脈證也。若欲解裏熱被攻下者，內虛毒氣逆迫，而致小便不利，直視失溲。若欲强去表邪被火攻者，徒氣液亡而致火熱熏灼，火逆微發黃色。劇則毒氣迫塞於心胸。如驚癇。時瘈瘲。猶爲汗不足。復以火熏之。一逆雖殆。尚引數日。再則死之日數無幾。故爲促命期。獨於火攻言之者。以風溫。火逆最甚故也。此雖詳溫病風溫脈證。三陽三陰篇中。止此一章。而其他不見及此義。雜病中亦不載之。疑非仲景氏之所論。意此王叔和。風溫以邪氣在於表裏。而熱湊。故欲使醫無汗下火之失。而補之也。若傷寒外別立溫病風溫以論此。恐尋枝摘葉。反失作者本意。此所謂三陽合病之類病有發熱惡寒者。發於陽也。無熱惡寒者。發於陰也。

此係陰陽。故單曰病。而先言發於陽。故舉之於此。素問太陰陽明論云。陽者天氣也。主外。陰者地氣也。主内。又金匱眞言論云。夫言人之陰陽。則外爲陽。内爲陰。此所謂發於陽。發於陰。卽發於外。發於内之謂也。然不曰内外。而曰陰陽者。欲明陰病陽病之情狀也。今就病發之初言。故曰發無熱。對有發熱。卽無發熱之言。略

發於陽七日愈。發於陰六日愈。以陽數七。陰數六故也。素問金匱眞言論云。南方赤色。其類火。其數七。北方黑色。其類水。其數六。呉注云。火之生數二。成數七。水之生數一。成數六。

此章言病有發熱惡寒者。熱氣發而寒邪在於外。故爲發於陽也。無熱惡寒者。寒邪徑入於内。而不熱發。故爲發於陰也。陽爲熱法火。陰爲寒法水。火成數七。水成數六。發於陽者。七日火數足而一陰

生乃陽病得向陰故愈發於陰者六日水數足而一陽生乃陰病得向陽故愈

太陽病頭痛至七日以上自愈者以行其經盡故也七日以上自七日及八九日之辭經者足六經若欲作再經者鍼足陽明使經不傳則愈再經者謂六日厥陰受之邪卻復傳太陽自太陽再次第傳厥陰也傷寒例云更傳經之義鍼足陽明刺胃經脈氣之所行足跗上衝陽穴也

此承前章傷寒一日太陽受之而明頭痛至七日以上自愈之義及再經治法也言一日太陽受之二日陽明受之三日少陽受之四日太陰受之五日少陰受之六日厥陰受之至七日以上太陽病

頭痛自愈者。以行其經盡。故先太陽病衰。大邪次第去。病日巳也。熱論云。七日巨陽病衰。頭痛少愈。八日陽明病衰。身熱少愈。九日少陽病衰。耳聾微聞。十日太陰病衰。腹減如故。則思飲食。十一日少陰病衰。渴止不滿。舌乾已而嚏。十二日厥陰病衰。囊縱。少腹微下。是也。若七日以上不愈。欲作再經者。邪氣甚而不去也。乃鍼足陽明。爲迎而奪之。使經不傳則愈。素問無再經之事。此後人之所設。

太陽病欲解時。從巳至未上。

此更明太陽病。欲解時刻也。巳乃陽之極。而至於

午一陰生太陽病者陽熱盛而損陰故得午未陰氣漸生之時則陰復與陽相協和而欲解也

風家表解而不了了者十二日愈風家猶言風病不了了者不清楚也

此承前章太陽病頭痛至七日以上自愈而中明太陽中風表解而不了了者餘邪尚存也乃至十二日厥陰病衰而全愈

病人身大熱反欲得衣者熱在皮膚寒在骨髓也身大寒反不欲近衣者寒在皮膚熱在骨髓也

凡言病之狀態則必曰病人身大熱者當去衣被而欲得之身大寒者當欲衣被而不欲近之故並曰反欲得衣者示欲之切不欲近衣者更示不欲之切成本得衣間加近字非程應旄傷寒後條辨云寒熱之在皮膚者屬標

屬假寒熱之在骨髓者。屬本屬眞。本眞不可得而見。而標假易惑。故直從欲不欲處斷之情。則無假也。

前數章就陰陽之理立論。此就外證之變論之。乃有寒之易混於熱。熱之易混於寒。病人身大熱。反欲得衣者。熱浮越在皮膚。寒凝在骨髓也。身大寒。反不欲近衣者。寒凝在皮膚。熱結在骨髓也。此唯察寒熱之一法而已。注家指皮膚爲表。指骨髓爲裏。設表熱裏寒。表寒裏熱之說。附會以表熱裏寒爲通脈四逆湯之證。以表寒裏熱爲白虎湯之證。或起眞寒假熱。眞熱假寒之論。强究其理。是皆牽合鑿說。不足信從。何者。論中言骨髓者。止此一章。

其他不見及以骨髓爲裏之義者也靈樞經脈云人始生先成精精成而腦髓生素問五藏生成篇云諸髓者皆屬於腦扁鵲傳云其在骨髓雖司命無奈之何由是觀之骨髓者自骨髓裏者自裏豈有指骨髓爲裏之理乎又眞寒假熱眞熱假寒之論雖謂有益於察寒熱詳病理然此亦疑惑之楷梯又亂其眞義焉又按以上八章疑非仲景氏之舊論係叔和所增入者其所説大略以傳經之義推論其理更立温病風温之名或推陰陽之數及陰陽王相之理而期病愈或因外證之變言皮膚

骨髓是皆無於本論中可參考者也故今太陽病或已發熱章下直接太陽中風章讀爲善又論中凡但擧脈證者是多叔和之補語然此本出于古醫經乃宜撰用理致適實者於治術必有益矣

太陽中風陽浮而陰弱中風者唯終太陽證而不轉屬故曰太陽中風以別陽明少陽等之中風陽浮上脫脈字也千金方有其脈二字陽浮而陰弱者從前脈緩來對陰陽俱緊詳邪氣淺緩之脈象也陽浮者熱自發陰弱者汗自出自發自出者謂不因服藥溫覆自然發出是邪氣淺乃鬱熱易發汗亦隨易出故也嗇嗇惡寒淅淅惡風嗇嗇難舒之貌淅淅灑淅也寒使陽氣退也成無已傷寒明理論云惡風則比之惡寒而輕也惡寒者嗇嗇然憎寒也雖不當風而自然寒矣惡風者謂常居密室之中幃帳之內則舒緩而無所畏也一或用扇一或

當風淅淅然而惡者此爲惡風者也。翕翕發熱。翕翕聚合之貌。熱氣熇熇然專在於表也。發熱則當汗出而不言汗者。中風汗出是定證也。故中風章下有不汗出之言。鼻鳴乾嘔者。鼻鳴者。氣液爲外寒凝滯。逆成涕洟。乃鼻窒閼于氣息作聲也。此亦邪熱淺而易發也。若熱深則鼻乾不作聲。乾嘔者。物將自口出不出。空發聲也。此亦比嘔逆頗輕矣。桂枝湯主之方。此方以桂枝爲主藥。故名。方字句下同。主者。君也。此桂枝湯之所治。而不可他藥者也。故曰主之。示可專一矣。黃炫活人大全云。或問。經言用藥。有言可與某湯。或言不可與。又有言宜某湯。及某湯主之。凡此數節。旨意不同。敢問。曰。傷寒論中。一字不苟。觀是書。片言隻字之間。當求古人之用意處。輕重是非。得其至理。而後始可言醫矣。所問有言可與某湯。或言不可與者。此設法禦病也。又言宜某湯者。此臨證審決也。言某湯主之者。乃對病施藥也。此三者。即方法之條目也。

桂枝三兩去皮　芍藥三兩　甘草二兩炙　生薑三兩切　大棗十二枚擘

右五味㕮咀三味以水七升微火煑取三升去滓適寒溫服一升服已須臾歠熱稀粥一升餘以助藥力

㕮咀爵也謂擣碎令之如口齒咬細也言㕮咀者止此一章是載方之始乃例於此而通諸方也曰三味者生薑切大棗擘故也生薑大棗不可擣碎也千金云今皆細切之較略令如㕮咀者乃得無末而片粒調和也是也微火煑欲和緩不猛而無沸溢之患令也藥氣出盡也適寒溫謂寒溫得其宜也稀粥薄粥也此證自汗出氣液泄因歠熱稀粥足精氣以助藥力求遍身漐漐之汗也

溫覆令一時許遍身漐漐微似有汗者益佳不可令如水流離病必不除

遍身者一身同也中風汗出而不周身故曰遍身漐漐微似有汗者益佳漐漐者和潤而欲汗之貌離離與灕同水滲入地也不可禁止之詞如水流離言過當也汗多亡陽則陰寒凝結故病必不除也

若一服汗出病差停後服不必盡劑若不汗更服依

前法。又不汗後服小促其間。半日許令三服盡。若病重者。一日一夜服。周時觀之。服一劑盡。病證猶在者。更作服。若汗不出。乃服至二三劑。

一日一夜者、十二時也。周時者、周十二時之謂。周時觀之、言病重者、一日一夜服藥周時歷觀病之進退、乃自一劑至二三劑也。乾隆御纂醫宗金鑑云、若一服汗出病差、謂病輕者、初服一升病卽解也。停後服、不必盡劑、謂不可再服第二升、恐其過也。若不汗更服依前法、謂初服不汗出未解、再服一升、依前法也。又不汗後服、謂病仍不解、後服第三升也。小促其間、半日許令三服盡、謂服此第三升當小促其服、亦不可太緩、以半日三時許爲度、令三服盡。始適中其服之宜也。若病重者、初服一劑三升盡、病不解、再服一劑、病猶不解、乃更服三劑、以一日一夜、周十二時爲度、務期汗出病解而後已。後凡有曰依服桂枝湯法者、卽此之謂也。

禁生冷粘滑肉麪五辛酒酪臭惡等物。

禁、戒止也。生者、熟之反也。粘滑者、餈餻油膩之

類。肉者禽獸魚肉。麪。麥末。五辛。本草綱目云。大蒜。小
蒜。韭。胡荽。蕓薹。正珍曰。食禁十五字。後人所加。古無
五辛之目。其說蓋出釋氏。酪者獸乳所製。其法本出
胡貉。古昔中國人之所不食者。魏晉以來。其法漸入
中國。濟按烏梅丸方後云。禁生冷滑物臭食等。意此
仲景氏之舊言。而今此有五辛酒酪等之目者。後人
加之也。食禁是其言大法也。宜察病寒熱。量胃氣强
弱。以斟酌取捨。不然則反亦生災害矣。發汗法食禁。
詳擧於此者。載方之始也。故下
略曰如桂枝法將息及禁忌。

此承太陽病發熱汗出章。而論中風桂枝湯之脈
證也。太陽中風。脈陽浮而陰弱。蓋陽浮者。氣上衝
而盛於上。熱當發於表之象。故曰熱自發。陰弱者。
邪氣鬱閉不洩之象。故曰汗自出。此二句者。釋上
脈陽浮陰弱之病態。而示中風邪熱之迅發也。乃

斜掉之文。不爾則已云熱自發。而更曰翕翕發熱者。文義不穩矣。惡寒、惡風連言者。明惡寒變惡風也。初得病也。陰氣爲邪凝滯在於皮膚而格陽於內。不使達外。故先惡寒。陽氣內鬱。鬱極發。亦猶有惡風。故嗇嗇惡寒。淅淅惡風。翕翕發熱。外病內感。氣液逆胃中。不和。故鼻鳴乾嘔。是言病之次敘也。此乃鬱熱直發。而邪氣不進。故主桂枝湯以發汗。則表邪解散。氣液行。衝氣乃低。又按以編次之順。論之則當先擧太陽病之治。後論中風治也。然次章以下。數章聯屬。而論太陽桂枝證之變。因擧此

傷寒論繹解卷二　四十五　包荒堂藏版

章於其後，則反亂自正及變之義，故先論之也。

太陽病，頭痛發熱，汗出惡風，成本風下有者字，是。桂枝湯主之。

此承首章而舉太陽病桂枝湯之正證，而作下言其變證之地也。蓋頭痛，太陽病中之一證，而今殊此舉之者，對次章項背強之稍重者，先示其稍輕也。首章言惡寒者，是始得之未發熱也。此曰惡風者，已發熱也。尋發熱而汗出惡風者，邪氣不進也。此與前證同而曰太陽病者，彼中風之輕者，此太陽病之輕者，因其脈但浮而不緩弱，乃有邪氣欲潑入之勢，其情狀自異故也。而今猶其證同，仍亦爲桂枝湯之所主治也是故次章論邪氣進稍重者又按前章始論病之狀態而定治方故曰嗇嗇惡寒淅淅惡風翕翕發熱以詳其次敍此章以下直就其見證施治故單曰發熱曰惡風曰惡寒也或不察乃疑前章文辭與他異以爲非仲景言或以此章爲重出衍文皆是不審章句之誤也

太陽病項背強几几几几者如几拘強難動之貌詩狼跋赤舃几几是謂安重不動可以證焉傷寒明理論云几音殊几引頸之貌几短羽鳥也短羽之鳥不能飛騰動則先伸引其頸爾項背強者動亦如之非若几案几而偃屈也此說非也何則金匱云太陽病其證備身體強几几然此几讀爲殊謂引頸之貌則不通反汗出惡風者桂枝加葛根湯主之方

葛根四兩 麻黃三兩去節。玉函無麻黃以下六字。是 芍藥二兩可發汗篇作三兩是

桂枝二兩去皮玉函作三兩是 生薑三兩切 甘草二兩炙 大棗十二枚擘

右七味。以水一斗。先煮麻黃葛根。減二升。去上沫。玉函七味作六味。無麻黃二字。是。先煮麻黃。爲去沫也。內沫令入煩也。先煮葛根。葛根氣味薄。且爲主藥也。

諸藥。煮取三升。去滓。溫服一升。覆取微似汗。不須歠粥。餘如桂枝法將息及禁忌。臣億等謹按仲景本論。太陽中風自汗用桂枝。傷寒無汗用麻黃。今證云汗出也。第三卷有葛根湯惡風。而方中有麻黃。恐非本意。證云無汗惡風。正與此方同。是合用麻黃也。此云桂枝加葛根湯。恐是桂枝中但加葛根耳。活人書云。伊尹湯液論桂枝湯中加葛根。今監本用麻黃誤矣。傷寒論析義云。將息。猶進退。

此承前章而論邪熱專伏結於項背筋脈。而難表

發。因强几几。反汗出。惡風者之治也。故不言發熱。葛根湯證亦然矣。反正之反。今項背强者。當無汗出。而汗出。故曰反。是與葛根湯之無汗。反應難熱發者。當仍惡寒。而惡風者。邪熱既鬱於筋脈故也。蓋項强者。太陽病之一證。而其及背者。此比桂枝湯證。則稍重。比葛根湯證。則稍輕。故以桂枝加葛根湯。解鬱熱。發汗也。此證。當主葛根湯。然汗出。非其證。乃桂枝湯之所主也。是故於證則從葛根。而汗出。曰反。於方則從桂枝。而加葛根。唯是因其輕重。而從其類者也。即葛根湯之根也。

太陽病下之後。此可下而下之也。故曰反後者。謂
有可下之證。而下之。其證除之後也。
發汗後。吐後。並同。以下皆倣之。其氣上衝者。可與桂枝湯。方用前法。
其氣上衝。指謂太陽在表之毒氣上攻也。故其不言
上衝之處。若邪氣滲入而上衝者。則必斥其所在。曰
心下滿。氣上衝胸。曰氣從少腹上衝心。曰脇下痛。氣
上衝咽喉之類是也。與者。謂彼此照方而施用也。下
後。其氣上衝者。似不可與桂枝湯。而此猶桂枝之所
治。故曰可與。雖今仍桂枝證。下後則似可改其方法。
故曰方用前法。是言其劑之
兩數煮服法。皆取之于前方。若不上衝者。不得與之。
此承桂枝湯之正證而論下後其氣上衝者。不上
衝者。辨桂枝湯之可否也。蓋太陽病者。邪熱専在
於表。故爲不可下也。然亦不可無可下之證矣。可
下而下之。非誤治也。唯下之其證除後。其氣上衝

者。邪氣仍在於外也。法當頭痛發熱汗出。故可與桂枝湯也。若不上衝者。恐下後邪或內陷將有變證。尚未可知焉。故不得與之也。姑待其變然後隨證治之可耳。或問曰。論曰。太陽病外證未解不可下也。下之爲逆。見之則凡太陽病下之。皆當屬誤治也。然吾子曰非誤治何也。曰如彼章就無內實。但外證未解者言之。是雖稍有裏證不可下者也。若有內實者。不下除之。而惟與發汗之劑。則以胃氣壅遏。故藥氣不行。反加滿悶。故有可下之急證。則先下之。其證除。而隨其後證治之。是臨機應變之術。非誤治也。素問標本病傳論云。先熱而後生中滿者治其標。此之謂也。若其誤治。則必顯云誤。或云反。或云非其治。亦可以知焉。又問此章恐是錯簡。當在于後太陽病發汗遂漏不止章後。而屬壞病。不然則突然曰太陽病下之後者。爲無謂。曰此非言下之而爲壞病者之證治。唯言太陽病下後。桂枝證仍在者也。故於不上衝者。曰不得與之。而不舉其治方。是爲下論桂枝不中與者先起其端也。豈可移之于後邪。又豈可謂突然邪。

太陽病。三日已發汗。太陽病者。主發汗。故曰已發汗。惟忠曰。大抵發汗之法。二三日爲度故曰三日已發汗雖然至此猶未解於是乎有尚宜發汗者有不宜發汗者有宜吐下者有不宜吐下者亦惟在于權其脉證而處之也若吐若下。若溫鍼。吐下溫鍼非悉皆經之故曰若溫鍼燒鍼熨法熏法此皆借火氣強取汗之法也今不傳仍不解者。此爲壞病。桂枝不中與之也。經發汗若吐若下而不解故曰仍桂枝即桂枝湯此承前章而略言之不中與之即前不上衝者不得與之意方有執曰壞言歷遍諸治而猶不愈則反覆雜誤之餘血氣已憊壞難以正名名也不中猶言不當也未三句言所以治之之法也蓋既不可名以正名則亦難以出其正治故但示人以隨機應變之微旨斯道之一貫斯言盡之矣觀其脉證。知犯何逆。隨證治之。犯者邪進於內也逆者謂治方不得宜而其證反戾也證者舉以合其要之稱治者致之於其理也之亦逆變不曰隨脉證單曰證者其意專歸重於此王宇泰曰逆者謂不當汗而汗不當下而下或汗下過甚皆不順於理故云逆也隨證治之者如後云汗後病不解及發汗若下之病仍不解某湯

主之之類是也隨證治之一句語活而義廣

此承前章而明太陽病三日已發汗若吐若下若溫鍼病仍不解其證敗壞遂至桂枝不中與既若斯則觀其脈證知邪氣進犯因何逆隨證治之也今反覆桂枝不得與之義以及隨證之一句是總決要語通部關鍵讀者宜畱意纖悉焉蓋隨證者言不離證所在斟量其淺深機變以治之豈惟治證乎猶如驗于皮膚之微而知骨髓之痼也或不通此義但就其鎖鎖變動一時枝葉謂是當隨證治者也不察其源機不候其所主僅遇咳氣輒投

咳氣之藥。遇吐逆輒與吐逆之藥。一日之間再三改輒進退增減處置甚苦。是猶捉影者。豈能得乎。淮南泰族訓云。所以貴扁鵲者。非貴其隨病而調藥。貴其擪息脈血。知病之所從生也。正此之謂。

桂枝本爲解肌。傷寒論輯義云。肌。說文肉也。折骨分經。白爲肌。赤爲肉。而肌有兩義。有肌膚之肌。有肌肉之肌。方氏因注云。肌膚肉也。蓋分肌肉之肌也。若其人脈浮緊發熱汗不出者。不可與之也。其人。指見太陽桂枝證人也。蓋前證變。而後證有所可嫌疑。則直指上曰其人。示非他。下同。此言桂枝證之重者。故曰汗不出。卽桂枝湯方下云。若病重汗不出之意。注家皆繫麻黃湯以辨之。非也。麻黃湯證。發熱無汗而喘。其輕重殊有別焉。又比下大青龍湯證。不汗出而煩躁。則大輕。曰汗不出。曰不汗出。曰無汗者。欲分病之輕重淺深作等差也。若混同之則文無輕重。安得作者之微意不可不詳矣。常須識此勿令誤也。識與誌同記也。

此申明桂枝不可與脈證。欲令勿誤治也。蓋太陽病發汗不宜。遂爲壞病者最多。故今於發汗之初。先察病之淺深緩急。感邪淺在於肌膚。因見脈浮緩發熱汗出惡風。此桂枝湯之證也。乃服湯。若汗不出。服至二三劑。病差而止者。是爲解肌。若其人脈浮緊發熱汗不出者。邪氣漸深把而鬱閉也。此非桂枝之所可治。故不可與之也。常須記識此不可與之數章。勿以令誤治也。

若酒客病。不可與桂枝湯。得之則嘔。以酒客不喜甘故也。酒客。謂平素好酒人也。喜悅好也。

酒客者有宿飲心腹痞鬱喜辛而惡甘。桂枝湯甘。

酒客得之則泥於心下胃氣逆而嘔。

喘家作桂枝湯加厚朴杏子佳。喘家。謂宿病喘人也。

素有喘證人每感外邪舊毒爲之動鬱滿於胸膈而發喘因加厚朴杏子兼解鬱滿除痰水乃佳。

凡服桂枝湯吐者其後必吐膿血也。血肉腐敗者曰膿血。

錢潢傷寒溯源集云其後必吐膿血句乃未至而逆料之詞也言桂枝性本甘溫設太陽中風投之以桂枝湯而吐者知其人本陽邪獨盛於上因熱

壅上焦，以熱拒熱，故吐出而不能容受也。若邪久不衰，熏灼肺胃，必作癰膿，故曰其後必吐膿血也。此以不受桂枝而知之，非誤用桂枝而致之也。濟按：以上三章，言雖得桂枝湯證，若有平素所患之病，則於本方可加減也。是皆臆說，不足信據。酒客病雖與桂枝湯，不必嘔，則不可謂不喜甘矣。桂枝加厚朴杏子湯證，詳于中篇也，蓋本之而爲說者也。服桂枝湯吐者，其後必吐膿血，此其後吐膿血者，當有其證見於外，豈其候見之于服湯吐與否乎？惟隨證可治耳。此三章，蓋王叔和依前章桂枝不中與。而撰次此等之說也。

太陽病。發汗遂漏不止。遂成也。遂漏不止。知其漏正未有止期也。其人惡風。小便難。惡風者。太陽病中之一證。而今汗後言之者。示汗漏不止。然病毒尚在於本位。而不復變惡寒也。小便難者。出不快也。四肢微急。難以屈伸者。微急。微拘急也。此攣急。則大輕矣。難屈伸。因微急。故加以字。靈樞終始篇云。手屈而不伸者。其病在筋。伸而不屈者。其病在骨。決氣篇云。津脫者。腠理開。汗大泄。液脫者。骨屬屈伸不利。桂枝加附子湯主之方。

桂枝三兩去皮　芍藥三兩　甘草三兩炙。玉函作二兩是。　生薑三兩切

大棗十二枚擘　附子一枚炮去皮。破八片。

右六味。以水七升。煮取三升。去滓。溫服一升。本云桂枝湯。今加附子。將息如前法。正珍曰。玉函本云。作本方。宜從焉。所以示桂枝

湯之爲古方也亦所以示桂枝加附子湯之自我作之也下皆倣之

此承前章太陽病三日已發汗而論發汗不得其宜乃汗遂漏不止之逆變證治也其人惡風小便難四肢微急難以屈伸者是發汗遂漏不止徒氣液脫於外而腠理疎然邪氣進不急尚在本位而凝結於四肢筋骨不利之所致也所謂不可令如水流離病必不除之一證仍於桂枝湯方內加附子溫散寒結而復其陽矣若發汗病不解反惡寒者虛故寒邪淩進也乃芍藥甘草附子湯主之宜併考此章及以下數章皆論壞病而盡桂枝之變

太陽病下之後脈促胸滿者。促脈來數時一止數熱也一止胃氣暴虛而脈氣不續也下後表未解者見此脈成無己曰陽氣勝而陰不能相續則脈來數而時一止卽此意桂枝去芍藥湯主之方。促一作縱

桂枝三兩去皮　甘草二兩炙　生薑三兩切　大棗十二枚擘

右四味以水七升煮取三升去滓溫服一升本云桂枝湯今去芍藥將息如前法

此亦承前章若下之而論下後致脈促胸滿之變也太陽病而有腹滿實痛等之急證因下之其證除後脈促胸滿者因胃氣暴虛雖邪氣稍及胸中表未解也今但胸滿而無腹裏拘急等證故於桂

枝湯方內。去芍藥。專治其表矣。不言所以去芍藥者。蓋去芍藥者。無芍藥證。不俟言可知故也。凡於本方中。去品味者。皆此例。

若微寒者。玉函．寒上．有惡字．是桂枝去芍藥加附子湯主之。方

桂枝三兩去皮　甘草二兩炙　生薑三兩切　大棗十二枚擘

附子一枚炮去皮．破八片．

右五味。以水七升。煑取三升。去滓。溫服一升。本云桂枝湯。今去芍藥。加附子。將息如前法

此即上證。而論若微惡寒者之治也。微惡寒者。寒邪乃進也。因加附子。以溫散之矣。太陽病下之後。

其氣上衝而不見他變證則與桂枝湯今下後稍爲變故稍異其治矣是確實桂枝不得與之義又按前方此方俱加附子一枚而前曰惡風此曰惡寒是故或疑惡風以爲惡寒之譌者非也何則前曰惡風此曰惡寒是風寒相對而見邪氣之進不進也前章所論本以發汗氣液脫於外故邪氣不進凝結於四肢微急難以屈伸是不速溫散則其變非易因加附子併芍藥以治微急蓋非爲惡風加之也此則本以下之胃氣虛故邪氣既及胸中而更微惡寒者寒進也是惡寒雖微不急溫散之

則盡內陷而至結胸等之危篤因加附子也附子並用一枚者其證俱微故也是古人去加之要妙固非可容疑者矣

太陽病得之八九日此始舉日數故曰得之如瘧狀發熱惡寒熱多寒少此謂寒熱發作有時也故分之曰熱多寒少其人不嘔清便欲自可此與清便自調同謂平常之便也諸注云清圊通厠也正珍曰清便者通洩大便之謂並非也蓋便者是通洩之謂也若清爲圊爲通洩則是義重不了曉見所謂屎雖鞕大便反易及便血可以知矣一日二三度發即發熱也脈微緩者爲欲愈也言陽愈脈微而惡寒者此陰陽俱虛此對上發熱惡寒而言但寒又寒邪進淺於前微惡寒虛實之反精虛也不可更發汗更下更吐也此繫太陽病三日已發汗若吐若下

若溫鍼仍不解言之故審曰不可更發汗更下更吐以戒之焉不言溫鍼者此固不可用于傷寒也面色反有熱色者未欲解也對上欲愈而言未欲解是皆係病情之辭以其不能得小汗出身必癢其者斥太陽病之始也此與汗漏不止有過不及之別過不及俱不宜乃必致逆變不可不慎矣宜桂枝麻黃各半湯方宜者方證相叶適之謂也此辨別善與其脈證而處其適方故曰宜

桂枝一兩十六銖去皮　芍藥　生薑切　甘草炙　麻黃各一兩去節　大棗四枚擘　杏仁二十四枚湯浸去皮尖及兩仁者

右七味以水五升先煑麻黃一二沸去上沫內諸藥煑取一升八合去滓溫服六合本云桂枝湯三合麻黃湯三合併為六合頓服一次服盡之謂將息如上法臣億等謹

按桂枝湯方桂枝芍藥生薑各三兩甘草二兩大棗十二枚麻黃湯方麻黃三兩桂枝二兩甘草一兩杏仁七十箇今以筭法約之二湯各取三分之一即得桂枝一兩十六銖芍藥生薑甘草各一兩大棗四枚杏仁二十三箇零三分枚之一收之得二十四箇合方詳此方乃三分之一非各半也宜云合半湯

此章舉太陽病得之以下熱多寒少等之變而辨其欲愈者陰陽倶虛者未欲解者三證設治方也其人不嘔清便欲自可者是人身之常也而言之者蓋太陽病八九日如瘧狀發熱惡寒熱多寒少者邪熱入裏而應見嘔及大便鞕等證矣若嘔大便鞕則雖一日二三度熱發非可欲愈者故揷此二句令人先知雖八九日如瘧狀邪氣尚專在於

表而裏無熱也發熱多者陽氣進也惡寒少者寒邪退也今裏無熱而一日二三度發熱脈浮變見微緩者邪氣微也故爲欲愈也論曰厥少熱多其病當愈即此意又脈證變微而惡寒者雖等脈微此八九日之閒因其治不宜陰陽俱虛寒邪淩進也故不可更發汗更下更吐也以下文其不能得小汗出可知初發汗不宜矣論曰寒多熱少陽氣退故爲進也即此意又脈微緩欲愈者當不有熱氣之上逆而今面色反有熱色者未欲解也是以其不能得小汗出寒進熱鬱於皮膚而上逆水熱

相結因致身必癢此雖一日二三度發脈微緩非欲愈者仍不發汗則不解矣而比桂枝湯證則邪氣淺比麻黃湯證則表鬱微俱不得其宜故合二方各半以治之也此卽麻黃湯之地

太陽病初服桂枝湯反煩不解者服桂枝湯者自前桂枝之正證來而別上桂枝麻黃各半湯也先刺風池風府卻與桂枝湯則愈甲乙經云風池二穴在顳顬後髮際陷中足少陽陽維之會素問骨空論云風從外入令人振寒汗出頭痛身重惡寒治在風府呉注云風府穴名在腦後入髮際一寸大筋內宛宛中疾言其肉立起言休其肉立下督脈陽維之會傷寒論析義云按太陽病當刺太陽經風池風府與本經何與焉又刺大椎肺俞及陽明病刺期門與之同例由此觀之凡經絡傷寒家之所不關亦可以知也

此承前章面色反有熱色者未欲解而論當兼行刺法者也言太陽病初服桂枝湯得其宜則應汗出身凉和而反煩不解者是毒氣上衝劇鬱結於頭項之血脉乃熱氣難解散故也因先刺風池風府疎通鬱結卻復與桂枝湯則邪熱發散而愈

服桂枝湯大汗出。謂汗暴出也乃與前證表虛汗遂漏不止異也又與上二章不得汗相反是互明其義示發汗不宜也今服桂枝湯大汗出而其證不除故無後字脉洪大者與桂枝湯如前法。脉洪大者因熱氣暴發脉氣泛濫也今仍桂枝證然已大汗出脉洪大者似可改其方法故曰如前法若形似瘧一日再發者汗出必解。此汗後乃嫌再發汗故曰汗出必解宜桂枝二麻黄一湯方

桂枝一兩十七銖去皮　芍藥一兩六銖　麻黃十六銖去節　生薑一兩六銖切　杏仁十六箇去皮尖　甘草一兩二銖炙　大棗五枚擘

右七味。以水五升。先煮麻黃。一二沸。去上沫。內諸藥。煮取二升。去滓。溫服一升。日再服。本云。桂枝湯二分。麻黃湯一分。合為二升。分再服。今合為一方。將息如前法。臣億等謹按。桂枝湯方。桂枝芍藥生薑各三兩。甘草二兩。大棗十二枚。麻黃湯方。麻黃三兩。桂枝二兩。甘草一兩。杏仁七十箇。今以算法約之。桂枝湯取十二分之五。卽得桂枝芍藥生薑各一兩六銖。甘草二十銖。大棗五枚。麻黃湯取九分之二。卽得麻黃十六銖。桂枝十銖三分銖之二。收之得十一銖。甘草五銖三分銖之一。收之得六銖。杏仁十五箇九分枚之四。收之得十六箇。二湯所取相合。卽共得桂枝一兩十七銖。麻黃十六銖。生薑芍藥各一兩六銖。甘草一兩二銖。大棗五枚。杏仁十六箇。合方。張璐玉傷

寒纘論云詳此方與各半藥品不殊惟銖分稍異而證治攸分可見仲景於差多差少之間分毫不苟也

此承上二章而先擧服桂枝湯大汗出脉洪大者而更論形似瘧一日再發者之治也今雖大汗出脉洪大者前證不變則與桂枝湯如前法若形似瘧一日再發者是邪氣稍進而爲逆變也前云如瘧狀一日二三度發脉微緩者爲欲愈此脉洪大邪氣尚盛也乃更不發汗則不解而比桂枝湯證則邪氣稍滾比桂枝麻黃各半湯證則因大汗出表鬱微故宜以桂枝二麻黃一湯治之矣

服桂枝湯大汗出後大煩渴不解上章及此章俱屬太陽病初服桂枝

湯章。故單曰服桂枝湯大煩渴不解。謂脈洪大者。與煩渴甚而不解也。此自前煩及煩渴。前脈洪大應。而其證有表裏之別。

白虎加人參湯主之方。

知母六兩　石膏一斤碎綿裹　甘草二兩炙　粳米六合　人參三兩

右五味。以水一斗。煑米熟湯成。去滓。溫服一升。日三服。

石膏不碎則煑之性味不出。故碎之。又不綿裹。則其滓難去。而藥汁濁。故裹之。凡用粳米之方煑法。米熟湯成爲度。故不曰取幾升。而見溫服一升日三服。則米熟湯成。大抵至三升也。可以知矣。正珍曰。綿古所通用者。蠶綿也。後世有木草二綿。俱不可裹物入湯也。諸家無其辨。可疑。因按梔子豉湯條。香豉四合綿裹。金匱梔子豉湯條。作絹裹。且本草綱目石膏條。時珍曰。古方惟打碎如豆大。絹包入湯煑之。是以觀之。綿裹之爲絹裹也。可以相證矣。傷寒論輯義云。醫史云。呂滄洲治趙氏子病傷寒。餘十日。身熱而人靜。兩手脈盡伏。俚醫以爲死也。弗與藥。翁診之。三部舉按皆無。其舌胎滑。而兩顴赤如火。語言不亂。因告之曰、此子必大發赤斑、周如錦文、夫脈血之波瀾也、今血爲邪熱所搏、淖而爲斑、外見於皮膚、呼吸之氣、無形可依、猶溝隧之無水、雖有風不能成波瀾、斑消則脈出矣、及揭其衾、而赤斑爛然、即用白虎加人參湯、化其斑、脈乃復常、繼投承氣下之愈、發斑無脈、長沙所未論、翁蓋以意消息耳、

此申明大汗出。桂枝證除後。致大煩渴之變者也。大煩渴不解。脈洪大者。是大汗津燥。而邪氣不除。遂鬱結於心下。而氣液不得宣通。熱氣益加。泛濫欲表發。而不能發也。因主白虎加人參湯。以解結熱潤燥。則氣液通。熱氣表達。邪氣乃去矣。今加人參者。必有人參所主治之心下痞鞕證也。可得知矣。而不言之者。此以加味。故令之知于外人參證。

而略焉也。凡本方有加味。而不言其證者。皆此例。

太陽病。發熱惡寒。熱多寒少。脈微弱者。此無陽也。不可發汗。宜桂枝二越婢一湯。方（此句宜接之寒少下看。論中此文法多。）

桂枝（去皮）　芍藥　麻黃　甘草（各十八銖炙）　大棗（四枚擘）

生薑（一兩三銖切）　石膏（二十四銖碎綿裹）

右七味。以水五升。煮麻黃一二沸。去上沫。內諸藥。煮取二升。去滓。溫服一升。本云。當裁為越婢湯桂枝湯。合之飲一升。今合為一方。桂枝湯二分。越婢湯一分。

煮麻黃上。玉函有先字。臣億等謹按。桂枝湯方。桂枝、芍藥、生薑各三兩。甘草二兩。大棗十二枚。越婢湯方。麻黃六兩。生薑三兩。甘草二兩。石膏半斤。大棗十五枚。今以算法約之。桂枝湯取四分之一。即得桂枝芍藥生薑各十八銖。甘草十二銖。大棗三枚。越婢湯取八分之一。卽得麻黃十八銖。生薑九銖。甘草六銖。石膏二十四銖。大棗一枚八分之七。棄之。二湯所取相合。卽共得桂枝芍藥甘草麻黃各十八銖。生薑一兩三銖。石膏二十四銖。大棗四枚。合方。舊云桂枝三。今取四分之一。卽當云桂枝二也。越婢湯方見仲景雜方中。外臺祕要一云起脾湯。成無已引外臺爲發越脾氣。

此卻復言太陽病得之八九日。如瘧狀。發熱惡寒。熱多寒少之邪熱深者。故冠太陽病名字。二證等熱多寒少。然彼邪熱尚淺。一日二三度發。脈微緩者。爲欲愈。故曰其人不嘔。淸便欲自可。以示裏無熱矣。此其熱旣深者。故更承上二章脈洪大。形似瘧一日再發。及大煩渴不解。而論之以見熱深矣。

是故不次之於彼章下而舉於此也今太陽病發熱惡寒熱多寒少者比桂枝湯證則熱氣淺比越婢湯證則表鬱微故宜以桂枝二越婢一湯發汗也脈微弱者眞陽虛衰之象故爲無陽也此明經日之間陽氣虛衰者雖外有寒熱不可發汗也卽與前脈微而惡寒者此陰陽俱虛不可更發汗及後大青龍湯章下云若脈微弱汗出惡風者不可服之略同意蓋此方與大青龍湯類發汗淸熱之峻劑若脈微弱者與之則忽亡陽至厥逆筋惕肉瞤等之逆變故補言之以戒發汗也見今云脈微

弱者無陽。則本方所治。爲脈洪大形似瘧。大煩渴之類證。可推知矣。此大青龍湯之根起。

服桂枝湯。此與前服桂枝湯照應。而辨大汗出與或不得汗之過不及。故亦單曰服桂枝湯。或下之。仍頭項强痛。翕翕發熱。無汗。心下滿微痛。小便不利者。按或字恐有誤。何則或者未定之辭。蓋下之言事實也。豈有用未定之辭之理邪。故論中下之之上加或字者。止此一章。而其他不見或發汗或吐等之言。可以知焉。脈經無或字。近是。此不可下而下之。故不用後字。服桂枝湯復下之。前證存。故曰仍。頭項强痛翕翕發熱者。是桂枝湯之證。而今殊詳舉之者。爲雖此證仍存。不可拘之之意地也。故他皆但曰不解未解。而不有詳前證者。無汗是人身之常而言之者。欲論翕翕發熱者。當仍有汗。而變至無汗也。桂枝去桂加茯苓白朮湯主之。方

芍藥三兩　甘草二兩炙　生薑切　白朮　茯苓各三兩

大棗十二枚擘

右六味以水八升煮取三升去滓溫服一升小便利則愈本云桂枝湯今去桂枝加茯苓白朮方有執曰朮上不當有白字是書編始于叔和叔和有脈經朮上皆無白字足可徵也然則白爲後人所加明甚

此承上二章互明其治之機用也夫服桂枝湯大汗出後大煩渴不解脈洪大者津燥邪熱鬱結於心下故直解散裏熱矣太陽病發熱惡寒熱多寒少此雖邪熱滾尚專於表故治其表若脈微弱者眞陽虛衰故雖外有寒熱戒發汗矣此章所論脈

桂枝湯。不得遍身之汗。而下之。內虛。邪氣因入裏。結於心下。而氣液不行。乃致無汗。心下滿微痛。小便不利之逆變。而仍頭項强痛。翕翕發熱者。以初不得汗。故表鬱之餘結存也。此似桂枝湯證。然無汗。心下滿微痛。小便不利者。與之則煩滿而不解。反至危篤矣。因桂枝去桂加茯苓白朮。以專治心下滿微痛。小便不利。則氣液宣通。邪氣從小便去。表鬱之餘結。亦解散而愈。故曰小便利則愈也。標本病傳論云。小大不利。治其標。此之謂也。論曰。太陽病。發汗。汗出不解。其人仍發熱。心下悸。頭眩。身瞤動振振欲擗地者。眞武湯主之。又曰病發熱頭痛。脉反沉。若不差。身體疼痛。當救其裏。宜四逆湯。是亦與此章同。不拘表證。直就裏證治之。且此方。與眞武湯意近。宜併考。注家不察。惟疑有表證。而去桂以爲去桂二字當刪去。或依桂枝去芍藥之例爲去芍藥之誤。並非也。

傷寒 太陽病、或已發熱、或未發熱、必惡寒、體痛嘔逆、脉陰陽俱緊者、名爲傷寒是也、而今此言其變、

脉證 脉浮。自汗出。小便數。心煩微惡寒。脚攣急。小便數者、氣逆甚、而膀胱不約、乃早瀉而尿少也、自汗出小便數、與前無汗小便不利反應、心煩者、邪熱及心胸而心悶也、微惡寒者、寒邪衰而微于外也、脚攣急者、脚曲不伸也、是與前微急病理同而連、凡病致變者、有因邪

氣之緩急而變者有以內有所挾變者有歷治而變者有經日變者今觀此變脈證非邪進急非有所挾又非一朝之所致因意此依太陽病三日已發汗及太陽病得之八九日章之意而發者也然而不言歷治日數者此以主論得桂枝誤治之後變故折略之也

反與桂枝欲攻其表此誤也。

其表指脈浮自汗出微惡寒言也此亦與前不拘表證意同故戒與桂枝欲攻其表也而不舉其治方者亦惟論得桂枝之後變故也今謹考其治方見云與甘草乾薑湯厥愈更與芍藥甘草湯其脚卽伸則不得桂枝之前亦宜以芍藥甘草湯治之也或芍藥甘草附子湯亦可矣

得之便厥咽中乾煩躁吐逆者作甘草乾薑湯與之以復其陽。若厥愈足溫者更作芍藥甘草湯與之其脚卽伸。

得之言得桂枝也煩躁心煩之甚也吐逆嘔逆之甚也向楷曰復已去而又還之謂正珍曰甘草乾薑湯芍藥甘草湯俱仲景氏所始製故各置作字以分桂枝之古方也

若胃氣不和譫語者。

少與調胃承氣湯。若重發汗。復加燒鍼者。復重復也。重發汗言重桂枝誤治也。復加燒鍼已發汗。且復加燒鍼也。於重發汗加燒鍼。不言其變證者。蓋一得桂枝便厥。若進至四肢厥逆也。固可知故也。特重發汗加燒鍼者。亡陽甚而寒邪四逆湯主之方。於四逆湯曰主之者。以其變極于此。亦無他也。方字恐衍。

甘草乾薑湯方

甘草四兩炙　乾薑二兩

右二味。以水三升。煮取一升五合。去滓。分溫再服。

芍藥甘草湯方

白芍藥玉函無白字是　甘草各四兩炙

右二味。以水三升。煮取一升五合。去滓。分溫再服。芍藥上有白字。是後人以芍藥色白者爲佳加之也。白朮之白字亦然矣。

調胃承氣湯方　此方直除胃家熱實、緩急迫、和胃氣、使承順上下阻隔之氣、故以爲名。

大黃四兩、去皮、清酒洗。玉函無去皮二字、洗作浸、是。　甘草二兩、炙　芒消半升

右三味、以水三升、煮取一升、去滓、內芒消、更上火微煮令沸、少少溫服之。陽明篇作更上微火一二沸、是。大黃清酒浸者、欲使行藥氣速泄下也。芒消入湯即消解、故去滓內芒消、更上微火一二沸也。少少溫服、唯欲微下和胃氣也。此方與邪熱直入於胃、毒氣急迫者、以一時救其急、故太陽病及傷寒變而致內實者、專用此湯矣。

四逆湯方　此湯溫散裏寒、而主治四肢厥逆、故名之。

甘草二兩、炙　乾薑一兩半　附子一枚、生用、去皮、破八片

右三味、以水三升、煮取一升二合、去滓、分溫再服、强

人可大附子一枚乾薑三兩。正珍曰仲景氏之用附子其與乾薑配者皆生四逆通脉四逆白通通加猪膽汁茯苓四逆乾薑附子諸劑是也其與他藥用者皆炮附子湯眞武湯麻黃附子細辛湯麻黃附子甘草湯甘草附子湯桂枝附子湯桂枝加附子湯桂枝去芍藥加附子湯芍藥甘草附子湯附子瀉心湯是也生用者其證皆急炮用者其證皆緩可見生用峻烈炮則和緩療體本自有別矣濟按字彙云强與彊同壯盛也曲禮四十曰强而仕據之則强人亦壯盛人也强人勝藥氣故增其量數此言量老少强弱而可用藥也素問五常政大論云能毒者以厚藥不能毒者以薄藥此之謂也蓋古人之用乾薑附子也爲溫散寒毒而除之也故强人則加增之也若後人以薑附爲復元陽補虛脫與之則有强人而加增之理邪實由不知古義矣今成大附子一枚乾薑三兩則與通脉四逆湯同然亦見於通脉四逆湯云强人乾薑可四兩則是各一方劑故曰强人可大附子一枚乾薑三兩也

此自太陽病或已發熱章來且承前章之意而先

舉傷寒其脈證變而似桂枝湯證者更明不可與桂枝湯而反與之及重發汗加燒鍼之諸變證治也今脈浮自汗出心煩微惡寒脚攣急者是傷寒經日之間其治不宜因氣液虛耗餘邪及心胸鬱熱升蒸之所致而成壞病也乃非桂枝湯之所宜故曰反與桂枝欲攻其表此誤也然得之便厥咽中乾煩躁吐逆者是更表陽亡而毒氣逆迫也因甘草乾薑湯與之以緩急迫温散寒邪而復其陽若厥愈足温者則更與芍藥甘草湯以解邪結緩急而和血氣其脚卽伸若胃氣不和讝語者是津

液乾燥鬱熱加而實於胃也因少與調胃承氣湯微下之緩急和胃氣若重發汗復加燒鍼者亡陽更甚寒毒王而內陷至四肢厥逆因四逆湯主之以急逐寒回陽矣是蓋審明知犯何逆隨證治之之義以終桂枝湯之變且舉白虎加人參湯之裏熱調胃承氣湯之胃家熱實四逆湯之裏寒爲後論白虎承氣四逆輩之地總結一篇

問曰證象陽旦謂前章傷寒脉浮自汗出小便數心煩微惡寒脚攣急也金匱有陽旦湯即桂枝湯也陽旦湯以乘陽春平旦之氣名也按法治之而增劇厥逆咽中乾兩脛拘急而讝語師曰言夜半手足當溫兩脚當

伸後如師言何以知此按法治之謂與桂枝湯攻其表脛拘急卽脚攣急答曰寸口脈浮而大浮爲風大爲虛風則生微熱虛則兩脛攣浮熱氣浮越故爲風風則爲生微熱大精血虛而氣泛濫故爲虛虛則爲兩脛攣此依脈以明血虛有微熱兩脛攣之所由也病形象桂枝因加附子參其間增桂令汗出附子溫經亡陽故也病形象桂枝卽證象陽旦之謂玉函參作於是於桂枝湯加附子增桂枝此言前脈浮自汗出等證之治方也厥逆咽中乾煩躁陽明內結譫語煩亂更飮甘草乾薑湯夜半陽氣還兩足當熱脛尚微拘急重與芍藥甘草湯爾乃脛伸以承氣湯微溏則止其譫語故知病可愈陽明指胃府言也夜半一陽生卽陽氣還也厥逆因亡陽故夜半陽氣還兩足當熱也承氣湯前章所擧之調胃承氣湯也微

溏。謂微下也。此言得桂枝湯誤治後之逆變。得治而可愈之由也。

此追論前章之義也。正珍曰。凡論中設問答而言之者。皆叔和所附托。非仲景氏之言。何以知之。以其言繁衍叢脞。而與本論所說大相乖戾也爾。

傷寒論繹解卷第二畢